Eisteddfod Genedla
gyda chydweithrediad

CYFANSODDIADAU
EISTEDDFOD AMGEN
2020

Cyhoeddir mewn cydweithrediad rhwng
Eisteddfod AmGen a Gwasg Carreg Gwalch

CYNNWYS

Cerddi Enillwyr Cadeiriau

Rhagair
gan Betsan Moses,
Cyfarwyddwr yr Eisteddfod

Fe ddechreuodd eleni gyda'r holl baratoadau ar gyfer yr Eisteddfod yn dod i fwcwl. Y targed ariannol eisoes wedi'i gyrraedd, rhaglenni'r is-bafiliynau yn dod at ei gilydd yn hwylus a chynlluniau'r Maes yn blaguro. Ond dros nos, daeth pob dim i stop. Daeth Covid i'n tir a bu'n rhaid gohirio am flwyddyn.

Ond fydde hi ddim yn Awst heb 'Steddfod, meddai un. A ganed AmGen. Cyfle i brofi'r Eisteddfod o'r soffa. O ddarlithoedd i sgyrsiau i berfformiadau. O hyfforddiant i gyd-Zoomio i ymarfer yr awen.

Fydde hi ddim 'chwaith yn 'Steddfod heb gyfansoddiadau. A chyfansoddiadau amgen a geir yma. Ceir cyfle i ddarllen mwy am ddeiliaid stolion yr ŵyl AmGen a'r meuryn yn troi'n ddyfarnwr ar Frodyr Parc Nest. A cheir llond cae o gerddi, wrth i brifeirdd ymateb i'w cerddi buddugol gwreiddiol. Na, fydd 4.30 ddydd Llun a ddydd Gwener fyth yr un fath eto.

Falle mai bychan yw Cymru o ran milltiroedd sgwâr ond mae'n bair o dalent, yn brawf o genedl lle mae diwylliant yn greiddiol i'n ffordd o fyw.

Fe fydd yr Eisteddfod yn ein tiroedd eto, ond trodd AmGen yn gyfle i bawb ddod ar y daith heb orfod mynd dros riniog y drws.

Mwynhewch y gyfrol a diolch i'r holl brifeirdd am oleuo'r dyddiau anodd yma.

Y STÔL FARDDONIAETH

Cerdd gaeth neu rydd 24–30 llinell o hyd: Ymlaen

BEIRNIADAETH MERERID HOPWOOD

Waeth pa mor amgen yw'r Eisteddfod eleni, mae rhai pethau'n aros. Ac un o'r rheiny, yn anffodus, yw'r galw am feirniadaeth! Peth anodd ar lawer golwg yw darllen swp o gerddi gan wybod y bydd rhaid eu didoli a dewis tair o'u plith. Ond roedd y cerddi a wibiodd yma dros e-bost yn rhai difyr a da, a chyn bwrw iddi felly a cheisio rhesymu yr hyn sy'n aml yn ymateb greddfol, dyma nodi diolchgarwch diffuant i bawb a ymatebodd ar fyr rybudd i'r testun, ac a ymddiriedodd eu gwaith i Myrddin a finnau.

Cafwyd trawstoriad o gerddi rhydd a chaeth, a phob un yn cynnig elfennau canmoladwy. Ond cefais fy mod wedi rhannu'r cynhaeaf bron i gyd i ddau storws, a'r ddau'n digwydd bod mor llawn â'i gilydd.

Mewn un rhoddais y cerddi isod (sydd yma yn nhrefn yr wyddor). Yn gyffredinol, credaf y gellid cryfhau'r cerddi hyn drwy wrando'n fwy gofalus ar rythmau'r llinellau ac edrych ychydig yn fwy craff ar y delweddau.

19 (neges bwerus), *Blodyn yr Haul, Bodlon* (pennill cyntaf ardderchog), *Brawd* (adlais priodol o waith Gwenallt), *Bwci Bo, Caebold, Carys, Ffyddiwr, Gwenllian Alys* (defnydd effeithiol o ailadrodd), *Gwynar, Gwynedd* (llinell agoriadol bwerus yn cyffelybu'r hunllef i storm o wynt), *Ianto, Neves* (cwpled clo cadarn iawn), *Petri* (llinell glo gref: 'awn ymlaen gan ymlonni'), *Shoni Hoi, Y Garreg Lwyd, Y Stacwr* (rhannaf y gobaith).

Mewn storws arall rhoddais y cerddi nesaf hyn (eto yn nhrefn yr wyddor). Mae talpiau da iawn ymhob un ohonynt. Bydd rhaid bodloni ar gynnig ambell linell yn esiampl yn unig.

Arwain ('Digon yw digon o dwyll'), *Boda, Bronglais* (clo dirdynnol), *D-IOGI* (dad-wneud,/yn ara/deg, y degawde/o dynnu'), *Dilettante* ('ymlawenhawn. 'Mlaen â ni'), *Doctor Hw* ('hanes ddoe a'r hyn sy' ddod'), *Dysgwr, Ews* ('wele ar ais y drain'), *Gwyrth, Henri* ('goriad a rhwd, agor drws'), *Llwnc, Rhy bell* ('ar waelod y môr tywyllwch'), *Trafford*.

Ond roedd pedwar yn hawlio lle iddyn nhw eu hunain, a'r pedwar mewn ffyrdd gwahanol iawn i'w gilydd wedi defnyddio'r testun i ymateb i brofiadau'r misoedd diwethaf.

Tybiaf fod cywydd *Ffranc* yn ddarlun gonest o gyfnod y Cloi a'r dod allan ohono. Mae'r parlys cychwynnol yn llacio i lawenydd cyn troi i'r casgliad sinigol na fydd yr hen fyd hwn, er gwaethaf profiad y pandemig, fawr callach.

Fel llawer, mae *Anffyddiwr* wedi bod yn tacluso cypyrddau a chael hyd i greiriau sydd, dan yr amgylchiadau rhyfeddol hyn, fel pe baen nhw'n cwestiynu ein holl gyfundrefnau ni. Crair felly yw'r ddysgl dreiffl. Mae'n stori fer o gerdd ac yn fyfyrdod athronyddol. Llinell arswydus o effeithiol yw'r un sy'n dod mor ddisymwth ar ddiwedd y pumed pennill. Wedi disgrifio proses gwneud peth mor ffrilog â threiffl, mae'n cloi gyda'r datganiad: 'mae Siberia'n llosgi'. Dyma waith heriol ac arbennig drwyddo draw, nid lleiaf y pennill clo sy'n 'mentro, am rŵan, credu mewn fory'.

Gweld gobaith mewn tirlun anial a wna *Ffalm*. Mae'n darlunio golygfa gyfarwydd ysywaeth o'r car a daflwyd i dir ymddangosiadol wast. Fodd bynnag, maes o law daw blodau gwyllt i'w guddio. Os yw'r clwyf yno o hyd, mae'r helyglys porffor yn gweld eu cyfle. Bydd y llinell glo yn aros gyda fi, y datganiad 'fod y byd yn aros pob bwlch'. Diolch am y weledigaeth hon.

Down wedyn at *Pererin*. Camp y bardd yma yw crisialu'r hyn a ddysgodd nifer ohonom o'r newydd dros y misoedd diwethaf, sef bod y cwbl o dan ein trwynau dim ond i ni oedi i edrych a gweld, gwrando a chlywed. Mae'r Cloi wedi rhyddhau'r bardd, ond amod ei waredu yw'r sylweddoliad ei bod/fod yn rhannu llwybrau rhyddid gyda chymuned. Nid rhyddid hunanol, unigolyddol mo'r rhyddid hwn. Mae'n dibynnu ar gymdogaeth ac ar berthyn. Fel Craig Tre-Wman Waldo Williams, fel Cwm Alltcafan T Llew Jones, sylweddoliad cadarnhaol *Pererin* yw hyn: 'Mae digon yng Nghwm Degwel'.

BEIRNIADAETH MYRDDIN AP DAFYDD

Drwy'r gystadleuaeth, mi gefais fy synnu gan linellau ysblennydd sy'n rhoi geiriau at ei gilydd er mwyn rhoi hwb i'r galon a chodi'r ysbryd. Mae rhai yma nad ydyn nhw'n gystadleuwyr eisteddfodol arferol – ond mae angerdd a chryfder eu penillion yn ffisig da mewn cyfnod du.

Gwenllian Alys: 'Ond daw nerth mewn niferoedd/A daw deialog o ddewrder.'

Bronglais: 'her ein teulu/heno i fam, – ymlaen, – i'r hyn a fu.'

D-IOGI: a'i ymarferion ystwythder corfforol:
'dad-wneud, yn ara/deg, y degawde/o dynnu, gratsian, diogi; torri/arfer y boen feunyddiol –/mestyn un goes, yna'r llall,/gwastatáu llethre'r sgwydde swyddfa,/datgloi'r cyffion o gylch y garddyrne,/mynnu'r penglinie ar wahân –'

Petri: 'a gawn eto drig
Lle bydd llawenydd yn wych
Ac yn fan y gân fynych?
Awn ymlaen gan ymlonni... '

Dysgwr: 'Mae hollt ymhob un melltith'

Dilettante: 'ymlawenhawn. 'Mlaen â ni.'

Bodlon: 'Yn nerfus, heibio'r terfyn
yr awn rhyw brynhawn, a'r bryn
yn heulo drosto'n felyn.'

Wrth ddringo i'r dosbarth cyntaf, mae'r grefft a'r ysbryd yn codi i dir uwch eto:

Rhy bell (Llythyr at fy wyrion):
'A thrwy hyn i gyd...
fe gewch chwilio am y geiriau
i'ch caneuon chithau.'

Ews: 'Fe'n gelwir eto i'r lôn/pan chwydda'r haul/a'i olau'n/llenwi'r rhwyll.'

Doctor Hw: 'af am dro/i glywed y goleuo.'

Anffyddiwr: Cerdd sy'n symud o'r weithred ymarferol, draed-ar-y-ddaear o glirio cefn cwpwrdd yn y gegin i dir ysbrydol. Gwelwn ddysgl dreiffl yn cael ei golchi a'i dal yn risialog at y golau. Treiffl – symbol o hen ddyddiau, parti plant, yr wyrion yn dod i weld Nain, pobl yn dathlu. Daeth dyddiau'r treiffl i ben mewn mwy nag un ystyr. Mae'r bardd yn ailddefnyddio'r ddysgl ac yn canfod arwyddocâd amgen i'r jeli a'r cwstard, ond yn gwylio'r newyddion duaf ar y teledu ar yr un pryd. Er ei fod yn awgrymu nad oes ganddo ffydd, mae'n cyfaddef ei fod yn 'mentro, am rŵan, credu mewn fory'.

Ffranc: Cywydd ffres ei gynghanedd a'i agwedd. Nid yw'r jobsys llenwi amser yn tycio dim yn y cyfnod clo – nid oes ganddo'r amser i chwarae tŷ bach na dysgu iaith newydd. Mae gofalu am y plant a'u diddanu yn fwy na digon i lenwi platiau'r rhieni. Mae ganddo gwpledi sy'n gwneud i'w gynulleidfa ei borthi: 'Mewn cyfnod na bu'i odiach,/hwyl byw gafodd teulu bach.' Wrth ddod at ddatgloi drysau'r ysgol eto, cymysg yw'r teimladau. Mae lliwiau enfysau gobeithiol cynnar y plant yn ffenestri'r cartref wedi pylu. Mae'r ansicrwydd yn parhau.

Ffalm: Sgerbwd o gar wedi'i losgi ar rostir gwyllt yw'r darlun. Dyna ddelwedd eithriadol o addas – mae'r car yn symbol o ddiwydiant, cynnydd economaidd, rhyddid yr unigolyn i deithio, ond hefyd yn ddelwedd o wastraff, llygredd a dyfodol anghynaliadwy. Trech na'r metel rhydlyd bellach yw planhigion meingoes yr helyglys sy'n cuddio'r graith ar wyneb y ddaear. Mae'n dewis ei eiriau'n grefftus a chynnil ac yn ein hysbrydoli.

Pererin: Dyfnder y filltir sgwâr yw gweledigaeth y gerdd hon. Does gan y llygad estron ddim yr amser na'r amynedd i dreiddio dan yr wyneb, ond nid dyna brofiad amryw ohonom a orfodwyd gan y Cloi i droi at gyfoeth arhosol ein broydd. Cwm Degwel ger Llandudoch yw ei ardal, ond gallwn i gyd uniaethu ein hardaloedd ein hunain gyda'r cwm hwnnw. Dyma awdl sy'n ein codi'n raddol ond yn hollol gadarn i sylweddoli mai ofer chwilio ymhell, mai gwastraff yw'r teithio di-baid: 'Mae digon yng Nghwm Degwel'. Mae'n mynegi canfyddiad llawer mewn ychydig linellau. Mae rhyddid ar lwybrau'r cwm; mae heddiw'n ymestyniad o orffennol hardd; mae pobl yn gymuned. Mae'n lleol a chenedlaethol yr un pryd ac yn deilwng o'r Stôl Farddoniaeth.

Canlyniad:
1. Pererin
2. Ffalm
3. (cydradd) Anffyddiwr a Ffranc

Y Gerdd Fuddugol

YMLAEN

Mae carreg yng Nghwm Degwel,
Yno'n hŷn na'r un a wêl
Llygad dyn, pob crwydryn craff.

I estron, y mae'n wastraff
Oedi yma am damaid –
Daw budd o deithio di-baid!
Dyw ennyd mewn byd unig
Ar y mawn ond chwarae mig.

Ond yma, yma i mi,
Arhosodd a goroesi
Rhyw ffaglen o hen hanes –
Yn y nant mae'n dod yn nes.
Heddiw aiff, a ddoe a ddaw
Â dwyster i'r man distaw,
Yn lliw del pabi melyn,
Ac yng nghemeg garlleg gwyn;
Yn y mwsog a'r meysydd,
A thrydar yr adar rhydd.

Mae stori a cherdd drwy'r cwm yn cerdded,
A hen alawon yno i'w clywed;
Mae rhythmau'r geiriau'n llwybr i'm gwared
Yn ddirgel a thawel o 'nghaethiwed,
Eto'n un â 'nghymuned; – ymryddhau,
Y mae golau, y mae fflam i'w gweled.

A ddaw, a fydd, neu a ddêl,
Mae digon yng Nghwm Degwel.

Pererin

Yr Ail Safle

YMLAEN

Daeth rhywun â char
i'r tir anodd
a'i losgi; du a llwyd
ac yn dechrau rhydu
a gleiniau pŵl
  yn yr ulw
lle diferodd metel tawdd.
  Hawliodd y marw
    lecyn
ymysg y rhedyn
  a'r eurwellt,
purddu fel pydredd,
ychwanegiad
  ar lymder
yr ymylon hyn.

* * *

Teneusyth, gwynlas,
cododd cyrff eraill
  o'r llosg moel
heb gywilydd.
Un ar ôl y llall
   a gododd yn haid
nes cuddio'r clwyf
a'r esgyrn rhwd.
Datganodd blodau porffor
 yr helyglys
  fod y byd yn aros pob bwlch.

Ffalm

Cydradd Drydydd

YMLAEN
(***Dysgl dreiffl, mewn pwl o anobaith***)

Daeth diwedd y byd, efo llai o secs
a mwy o waith papur na'r disgwyl.

A dwi'n canfod dysgl dreiffl
yn y cwpwrdd pethau cysegredig,
yn ei golchi â dŵr a sebon a'i dal i'r golau
i weld ei honglau grisial yn disgleirio
fel llafnau cyllyll.

Gwrthrych wedi'i greu ar gyfer gorchwyl
o dreiffyla, a threiffyla'n unig.
Peth od i ddal gafael arno
yn grair o gyfnod pan oedd y byd am bara am byth.

Datganiad ffydd mewn byd lle mae gwydrau'n
chwalu'n ddyddiol a phethau'n torri,
niceaeth gyfalafol priod awr i bob rhyw bwrpas
a phriod declyn i bob awr
a dyfodol o dreifflau, a threifflau, a threifflau
di-ben-draw o'th flaen.

A dwi'n rhoi tro i'r ddefod, yn ceisio tanio ffydd
a finna'n anghrediniwr. Puredigaeth dŵr
yn fendith dân ar giwbiau jeli. Traws-sylweddaeth wy
yn gwstard melyn, cwmwl tystion
hufen wedi'i chwipio ac ar y teledu,
mae Siberia'n llosgi.

Ai dyma flas parhad? Rhywbeth meddal, melys
yn glynu at dy dafod? Falle.

Dwi'n golchi'r llestr cymun, ei onglau'n pefrio.
Ei roi yn ôl i gadw, a'r cadw hwnnw'n fath o weddi,
yn mentro, am rŵan, credu mewn fory.

Anffyddiwr

Cydradd Drydydd

YMLAEN

Ddoe bell, pan gaeodd y byd
yn glaf, a'r ysgol hefyd,
mewn panics bûm yn poeni.
Be wnawn, a sut bywiwn ni,
yn gwbod nad oedd gobaith
osgoi hyn? Dim dysgu iaith,
weirio'r llofft na pheintio'r lle,
neu wneud cyflath. Mond cyfle
i'w gorwynt o greu o'n tŷ
warin, a'r baw'n pentyrru...

* * *

Mewn cyfnod na bu'i odiach,
hwyl byw gafodd teulu bach.
Roedd o am beintio â bys
i anfon pwt o enfys
o'i ffenest. Ffei â phoeni
a gwg ein nos ddi-gwsg ni!

* * *

Eto, y glwyd a ddatglôdd.
Wedi'r ennyd, dirwynodd
yr edafedd: rhaid hefyd
yrru'r bych allan i'r byd
o'n blaen, drwy byliau o law,
a'i wedd hyfryd o ddifraw.

Arafwn. Down adref ein dau:
hen fiwsig. A'r enfysau
amryliw nawr mor welw:
staen hyll ar eu ffenest nhw,
fel hen glais fel'na'n glasu
dan lwch tawelwch pob tŷ,
a blw-tac wedi cracio
o hen fyd... ond dyna fo.

Ffranc

Y STÔL RYDDIAITH

Darn o ryddiaith hyd at 500 gair ar y testun: Gobaith

BEIRNIADAETH MANON STEFFAN ROS

Eleni, does dim byd fel ag yr oedd o'r blaen, ac mae hynny hefyd yn wir am brif gystadleuaeth ryddiaith yr Eisteddfod. Yng nghystadlaethau'r Fedal Ryddiaith a'r Daniel Owen, mae gofyn i ymgeiswyr sgwennu nofel gyfan – degau o filoedd o eiriau. Eleni, am fod amgylchiadau mor wahanol i'r arfer, ac efallai hefyd am fod gan rai cyw awduron fwy o gyfle i roi blaenau eu traed ym myd sgwennu creadigol, mae cystadleuaeth y Stôl Ryddiaith yn gofyn am uchafswm o 500 gair.

Mae'r grefft o ysgrifennu stori fer neu lên meicro yn wahanol iawn i'r grefft o lunio nofel, ond yn fy marn i, mae i'r ddwy eu sialensau eu hunain. Does dim un yn haws na'r llall! Mae cydio yn nychymyg darllenydd a chreu stori gofiadwy o fewn cyfyngiad o ychydig gannoedd o eiriau yn dipyn o gamp.

Roedd 'na hen ddigon o awduron, diolch byth, yn barod i wynebu'r her yma. 67 ohonynt – nifer gwirioneddol galonogol, ac arwydd da fod y cyfnod clo wedi bod yn gyfnod o arbrofi creadigol i nifer. Roedd y testun – Gobaith – yn ddigon agored i ddenu ystod eang o bynciau, o Covid-19 i hiliaeth i'r Mabinogion. Mae'n deg dweud fod llawer wedi defnyddio'r amgylchiadau diweddar fel pwnc, ond roedd yn ddifyr gweld mor wahanol oedd ymdriniaeth yr awduron â'r pandemig a'r ynysu a ddaeth yn ei sgil. Dydw i ddim yn meddwl i mi ddarllen casgliad o straeon mor bositif erioed o'r blaen. Am ryddhad!

Rydw i'n falch o allu dweud fod y mwyafrif llethol o gystadleuwyr wedi llwyddo i greu straeon difyr a chyfareddol. Dewisodd rhai gyflwyno disgrifiad o un foment yn unig, fel ffotograff geiriol. Dewisodd eraill adrodd stori gyfan, o'r dechrau i'r diwedd. Fe'm trawodd fod ambell un yn teimlo fel y dylai fod yn rhan o rywbeth ehangach – nofel efallai, neu nofel fer. Roedd rhywbeth i'w fwynhau ac i ryfeddu ato ym mhob un ymgais, felly diolch o galon i bob cystadleuydd. Byddai'r feirniadaeth yma'n nofel ynddi ei hun petawn i'n rhoi sylwadau ar bob un o'r 67, ond hoffwn ysgogi pob awdur i sgwennu mwy, a pharhau i gystadlu.

Heb fod mewn unrhyw drefn, dyma'r ymgeisiadau a ddaeth i'r brig i mi: *Dieithryn; Manawydan; Mul mewn Gran Nashnyl; Llwyd; Cafn; Claf Abercuawg;*

Joci; *Price* a *Moth*. Maen nhw'n straeon gwahanol iawn i'w gilydd, ac yn apelio ataf i am wahanol resymau. Mae *Mul mewn Gran Nashnyl*, er enghraifft, wedi ysgrifennu stori hollol wallgof sydd fel breuddwyd gwirion bost, a hynny yn arddull haniaethol awduron fel Flann O'Brien. Roeddwn i wrth fy modd efo'i waith, er nad oeddwn i'n ei ddeall o gwbl! I wrthgyferbynnu'n llwyr, roedd gwaith *Llwyd* yn dawel, yn gynnil, ac yn drwm â theimlad niwlog digalon oedd yn drawiadol iawn.

Ar ôl ffurfio ein rhestrau byrion personol, cafodd Guto Dafydd a finnau sgwrs er mwyn rhannu'r rhestrau, cyn mynd yn ôl i ailddarllen ac ailasesu. Rhaid cyfaddef fod ein rhestrau'n eithaf gwahanol i ddechrau, ond da o beth oedd hynny – cefais gyfle i fynd yn ôl a gwerthfawrogi cynildeb straeon na chydiodd ynof ar y darlleniad cyntaf. Wedi edrych eto, roedd Guto a finnau'n gytûn ar bwy oedd yn y tri uchaf, er y bu ychydig drafodaeth (gyfeillgar, diolch byth!) am y drefn.

Yn drydydd, y mae *Price*. Stori fer mewn arddull gwyddonias sydd yma, a'r awdur wedi creu byd lle mae teuluoedd a gafodd golled yn derbyn enfys – enfys lythrennol, hynny yw, nid darlun mewn ffenest. Mae'r awdur yma'n hyfryd o gynnil, sydd yn dipyn o gamp wrth sgwennu gwyddonias. Yn hytrach na chanolbwyntio ar y rhyfeddod o fyd lle mae enfys yn rhywbeth sy'n gallu cael ei osod mewn lle penodol, y cymeriadau sy'n bwysig yma. Rhaid i mi gyfaddef i mi feddwl am y cymeriadau yna bob tro i mi weld enfys mewn ffenest.

Gwirionais ar arddull 'Dadbacio' gan *Dieithryn*. Mae'r trosiadau yn taro deuddeg bob amser, a'r awdur yn canfod y cydbwysedd perffaith rhwng dweud digon a pheidio â datgelu gormod. Rhaid i mi gyfaddef, mae gen i deimlad greddfol mai rhan o nofel neu stori ychydig yn hirach ydy 'Dadbacio', ond mae hi hefyd yn gweithio fel mae hi. Ac efallai mai crefft yr awdur sy'n golygu 'mod i'n ysu am gael gwybod mwy...

Yn fuddugol eleni mae 'Gobaith' gan *Claf Abercuawg*, ac roedd Guto Dafydd a minnau'n gwbl gytûn mai hon oedd yn dod i'r brig. Mae 'na rai pethau sy'n anodd iawn ysgrifennu amdanyn nhw, ac mae'r cyfryngau cymdeithasol yn un ohonyn nhw. Mae hi mor hawdd mynd i swnio'n bregethwrol neu ychydig yn hen ffasiwn. Mae *Claf Abercuawg* yn llwyddo i sgwennu stori fer hollol gyflawn a chynnil sy'n sôn am gyfri Twitter. Mae'r byd rhithiol yn plethu'n berffaith gyda'r byd go iawn, a'r iaith lafar yn teimlo'n gwbl naturiol (a heb deimlo fel petai'r awdur yn ceisio gwneud pwynt o ddefnyddio iaith lafar!). Mae 'Gobaith' mor, mor gynnil a chryno, ond mae'r stori'n teimlo'n orffenedig.

Diolch o galon i Guto Dafydd, a llongyfarchiadau fil i bawb wnaeth gystadlu, yn enwedig *Price*, *Dieithryn* a *Claf Abercuawg*.

Pan fydd ar haneswyr y dyfodol eisiau deall ymateb seicolegol y Cymry i'r coronafeirws, y peth gorau iddyn nhw'i wneud fydd mentro i lawr i ba bynnag folt lle cedwir y ceisiadau ar gyfer y gystadleuaeth hon.

Byddant yn synnu, i gychwyn, at y nifer: 67 o bobl wedi mynd ati i ddistyllu eu teimladau'n ddarnau o ryddiaith. Dyna ddangos bod yr hen reddf honno – i wneud sens o greisis drwy stori, i chwedleua'n ffordd drwy drybini – yn fyw ac yn iach. Mae rhywbeth yn dweud wrtha i nad sgwenwyr profiadol, sefydledig yw trwch yr ymgeiswyr, ac mae'n ardderchog fod y gystadleuaeth hon (os ydw i'n gywir) wedi cymell sawl un i roi pìn ar bapur am y tro cyntaf ers tro. Dwi'n erfyn arnoch chi: peidiwch â rhoi'r gorau iddi rŵan!

Byddant yn sylwi, wedyn, ar y *genres* a'r pynciau roedd y darnau'n ymhél â nhw. Ambell ddarn yn sôn am fyd natur a'i barhad, o gaeau Cymru i eira'r Eigernordwand; ambell un yn sôn am fyd gwaith, busnes ac addysg; ambell un am fod allan mewn caffi neu ar y lysh. Rhywfaint o ddarnau'n seiliedig ar atgofion personol, am gyfnod rhyfel neu blentyndod mwy diweddar – rhai'n nostaljig ac eraill yn rhy greithiedig i hiraethu. Tipyn o ddarnau ffantasi neu alegori, yn cynnig drycholwg ar ein cyfnod ni drwy blymio i ddyfnderoedd uffern neu bellteroedd y gofod, i fyd chwedlaidd y gorffennol neu'n bell i'r dyfodol.

Ond er bod amrywiaeth, mae trwch y darnau'n ymwneud â dwy thema – rhai dealladwy iawn gan ystyried ein bod i gyd wedi treulio misoedd yn sownd yn ein cartrefi, naill ai'n laru ar fod dan yr unto â'n ceraint yn ddi-baid, neu'n hiraethu amdanynt wrth fethu â'u gweld. Diflastod domestig yw un; tyndra teuluol yw'r llall – a'r ddau beth yn aml yn cymysgu â'i gilydd yn goctel peryglus o rwystredigaeth â'r hyn sy'n boenus o gyfarwydd. Yn aml, mae profedigaeth neu enedigaeth neu ddihangfa serch yn rhoi chwyddwydr ar y sefyllfa.

Sylwa'r haneswyr hefyd, dybiwn i, ar deimlad sy'n dew drwy'r darnau: fflatrwydd, diymadferthedd, goddefedd. Lle mae 'na unrhyw benderfynoldeb, neu finiogrwydd ewyllys, caiff ei wasgu i lawr gan yr amgylchiadau. Mae drwy'r straeon hefyd awgrym o arswyd pŵl: ofn yfory, heb wybod yn iawn beth ddaw. Gadawaf i haneswyr y dyfodol benderfynu a yw'r diymadferthedd a'r digalondid yn y straeon yn un o effeithiau'r feirws a'r cyfnod clo, ynteu'n nodwedd arferol ar lenyddiaeth Gymraeg!

Fydd gan yr haneswyr fawr ddim i'w ddweud am ansawdd y cynnyrch, mae'n debyg; ein job ni fel beirniaid ydi tafoli hynny! Mae 500 gair yn hyd delfrydol ar gyfer asesu calibr llenor. Yn y gystadleuaeth hon, llwyddai'r gwannaf i wneud iddo deimlo'n hir heb ddweud fawr ddim. Yn nwylo'r goreuon, roedd 500 gair yn gwibio heibio, ac, ar yr un pryd, yn gwneud i mi deimlo fy mod wedi cael gwerth nofel o stori a syniadau.

Doedd beirniadu ddim yn dasg hawdd. Ar ôl darllen y darnau dwn-i-ddim-faint o weithiau, roedd bron i bymtheg yr hoffwn – am ryw reswm neu'i gilydd – eu gwobrwyo. I godi i'r brig mewn cystadleuaeth mor gref, roedd yn rhaid cael syniad dyfeisgar, strwythur cadarn, a mynegiant caboledig – a'r rheiny'n gyson drwy'r darn. Cafodd sawl un ei fradychu, yn y pen draw, gan fynegiant goreiriog, llacrwydd neu aneglurder yn y strwythur, neu fethiant i gloi'r stori mewn ffordd oedd yn gwneud cyfiawnder â'r cychwyn.

Dyma'r darnau a apeliodd fwyaf ataf – heb fod yn nhrefn teilyngdod nes dod at y tri ar y brig.

Tri darn, i ddechrau, am y teimlad o gael eich gadael yn amddifad. Gan *Manawydan* cafwyd bachgen bach yn boddi ar ôl cael ei ddenu gan deyrnas chwedlaidd ryfeddol dan y môr. Menyw'n laru ar ddiflastod a mileindra nawddoglyd cartref henoed sydd gan *Mul mewn Gran Nashnyl*. Ac mae *Mona*'n dangos hogyn sydd wedi cael ei fradychu o'r crud yn mynd ati i ffurfio perthynas ddofn, o'r diwedd, â'i gynefin.

Gwelodd y gystadleuaeth ei siâr o ferched cryf ond bregus. Llwyddodd *Cafn* i ddod ag arswyd ac ansicrwydd anferth i'w disgrifiad o gyfarfyddiad syml ar y stryd. Aeth *Martha* dan groen obsesiwn hylendid mewn ffordd gredadwy iawn. Roedd disgrifiad *Salem* o angladd yn datgelu'n feistrolgar o gynnil ddyfnderoedd perthynas â'r ymadawedig. Gan *Penlan* cafwyd portread argyhoeddiadol o rwystredigaeth genod sy'n sownd mewn tafarn mewn tref anghysbell, yn deisyfu perthyn i'w cynefin, ond hefyd brofiadau'r byd.

Efallai mai fy amgylchiadau personol a'm denodd at dri darn ynghylch rhieni amherffaith yn gwneud y gorau o'u hamgylchiadau. Mae *Glas y Dorlan* a'r *Fam wrth y Ffenast yn Tŷ* ill dwy'n boenus o ymwybodol mor bitw yw rhwystredigaethau magu plant yn y cyfnod clo o'u cymharu ag anghyfiawnderau'r byd – mae'r ddwy'n codi gwên gyda'u gonestrwydd, ac yn ein dwysbigo'n ofalus â'u cydwybod cymdeithasol. Gan *Mabnêr*, cafwyd darn hyfryd am riant maeth yn ceisio cydbwyso'i chariad at ei mab, ar un llaw, â helpu ffrind ei mab i beidio â chael ei amddifadu fel y cafodd hi ei hun.

A dyma ni'n cyrraedd y tri darn ar frig y gystadleuaeth.

Yn drydydd, *Price*: mewn byd sy'n gyfarwydd ond eto wedi ei gyffwrdd gan ffantasi, mae pob teulu sy'n colli rhywun i'r feirws yn cael enfys. Trinnir y syniad cyfareddol hwn fel rhywbeth synhwyrol, arferol, gan ddyfnhau'n chwilfrydedd am y byd hwn – mae'r rhyfeddol yn gymysg â'r beunyddiol boenus, mewn darn sy'n cyfleu'n gynnil alar cynifer o deuluoedd, ynghyd â swrealaeth styrbiol ein cyfnod. Mae hefyd yn deyrnged felys, syml i staff y gwasanaeth iechyd.

Yn ail, *Dieithryn*, gyda chofnod o feddyliau dynes feichiog sy'n paratoi am sesiwn gyda therapydd. Dyma ysgrifennu dwys-ddelweddol sy'n dyndra byw o ddifaru a dyheu a gwadu ac wynebu'r dyfodol. Er bod yma ymateb cryf a phoenus i'r sioc o gario bywyd newydd i'r byd, mae yma hiwmor hefyd – holl gyfoeth emosiynol ymateb menyw i fod ym mhurdan beichiogrwydd, ar y bont beryglus rhwng ei hen fywyd a'r cyfrifoldeb sydd i ddod.

Yn gyntaf, mae *Claf Abercuawg*, gydag un o'r straeon hynny sy'n gwneud i rywun deimlo ei fod wedi gwylio thrilyr ddeallus ddwyawr o hyd. Mae'n dechrau gyda diflastod domestig cyfarwydd iawn – tad ifanc yn osgoi gofalu am ei blentyn drwy stwna ar Twitter. Yn raddol, drwy gyfrwng cyfrif disylw ond cyfriniol ar y wefan honno, cyflwynir y ffaith fod y byd wedi drysu – trefn arferol cymdeithas ac amser ar chwâl. Mae'n dal i'r dim deimlad anesmwyth cynifer ohonom fod y byd oddi ar ei echel, ac yn portreadu'n gelfydd y modd y mae pla a phoblyddiaeth wedi siglo'r gyfundrefn gysurus oedd ohoni. Ar ddiwedd y stori, peidiwch â gadael i'r cynildeb eich twyllo – mewn ychydig eiriau, mae *Claf Abercuawg* yn cynnig cip ar y dyfodol brawychus sydd, efallai, yn dygyfori.

Yng Nghanu Llywarch Hen, caiff Claf Abercuawg ei boeni, yn ei afiechyd, gan y cogau sy'n canu'n ddi-baid, ac yn ei atgoffa o'r byd tu allan, yr hyn a aeth, a'r hyn sydd i ddod. Mae'r gerdd yn addo, ar ddydd y farn, y bydd y gwir yn dod i'r golwg a chelwydd yn cael ei guddio – 'tywyll fydd gau; golau gwir'. Diolch i *Claf Abercuawg* am sgleinio'i olau yntau ar y gwir. Pryd bynnag y byddan nhw'n darllen ei stori, synnwn i ddim na fydd haneswyr y dyfodol yn dweud bod *Claf Abercuawg* wedi deall arwyddocâd ein cyfnod ni i'r dim.

Canlyniad:
1. Claf Abercuawg
2. Dieithryn
3. Price

Y Darnau Rhyddiaith Buddugol

GOBAITH

O'n i'n sgrolio ar twitter diwrnod o blaen a dyma fi'n ca'l un o'r *notifications* 'na: you might know @clafabercuawg. Clic iddi rhag ofn.

Rhyfadd... Doedd y person yma ddim wedi trydar ers 2009. Ar ben hynny, oedd o'n defnyddio twitter fathag oedd o fod i ga'l ei ddefnyddio'n wreiddiol: jest yn rhoi cofnod manwl o'i fywyd bob dydd. Meddylia. 2009. Cyn hyn i gyd. Cyn pob dim.

Oedd ganddo fo'r straeon mwya anhygoel, am ddod o hyd i ddarn o gelf gwerth £15,000 mewn car-bŵt-sêl. Neu ryw hogan ifanc 'di meddwi'n dwll yn troi fyny ar ei stepan drws, a fynta a'i wraig yn rhoi lloches iddi am y noson. Y math o betha sy byth yn digwydd go iawn.

Ond wedyn oedd o'n sôn mewn *tweet* arall am Loegr yn ennill yr Ashes yn 2009. Dyma fi'n digwydd troi'r radio 'mlaen, a dyna lle oeddan nhw'n ailchwara'r sylwebaeth yn fyw o Erddi Soffia. Oeddwn i yno yn gwylio'r chwara y diwrnod hwnnw? Sti be, dwi bron yn siŵr 'mod i.

* * *

Amser bath, a'r fechan yn sblasio ac yn llithro i bob man. Ar sêt y toilet oeddwn i, yn mynd trwy'r cofnodion efo crib fân i weld oedd 'na gliwia yno...

Dim, hyd yma. Ond roedd ei *tweet* ola bron fel brawddeg agoriadol nofel neu rwbath: 'Ciliodd yr artistiaid o lwyfan bywyd ond erys eu cysgodion.' Yna dim. Am dros ddegawd, dim un sylw pellach.

Oedd o wedi marw? Ei daro'n wael? Colli'i go'? 'Ta jest wedi laru? Pam nad oedd ganddo fo ddim i'w ddeud am hyn oll? Pam cofnodi darnau bach dinod o fywyd mor gysáct fel'na, ond ymdawelu wedyn pan ddaeth y petha mawr i gyd – Brexit, Trump, yr hinsawdd, y feirws? 'Ta oedd o eisoes wedi deud y cyfan wrthon ni, yn ei ddull cryptig ei hun, am hyn i gyd drwy ei gofnodion bach dinod?

Ella mai dyna pam oeddwn i'n cael cysur o'i gyfri fo. Bod y petha bach yma i gyd mor bwysig yr adeg honno. Fatha'r holl *reruns* oedd wedi bod ar y teledu'n ddiweddar: Wimbledon, Glastonbury. *C'mon Midffîld*. Cysur y dibwys.

'Dad, sbiiiiia. Dad. Dad!'

'Huw!'

'... Mm?'

'Ma dy ferch di'n trio ca'l dy sylw di!'

Ac mi oeddwn i'n teimlo fymryn yn euog. Ond mi oedd hyn yn bwysig.

* * *

Nes ymlaen mi ddaeth yn storm, ac meddai Gwawr o nunlle, be am fynd am dro? Finna'n meddwl mai herian o'dd hi. Ond doedd hi ddim, a duwcs, iawn 'ta, medda fi, ac ar ôl lapio'r fechan mewn amryfal gotia, allan â ni i'r parc i ganol y trana a'r mellt ac wedyn mi ddoth y glaw'n gynfasa, hitha'n stompian yn hapus mewn pylla ac yn neidio o'i chroen bob tro y deuai clec o'r newydd. Ac mi anghofish i am chydig.

* * *

Ond ar ôl i ni ddod 'nôl a thynnu cotiau a sgidiau glaw ac ymysgwyd a chael yr hogan i'w gwely mi dyrchish yn syth am fy ffôn a mynd yn f'ôl i chwilota eto. Doedd o ddim yno mwyach: 'This account doesn't exist,' meddan nhw wrtha fi. 'Try searching for another.'

Bryd hynny y clywson ni'r seirena a'r Fareia Wen, a brysio i ffenast llofft i weld y lorris gwyrddion yn sgrialu i lawr pob stryd.

Claf Abercuawg

Yr Ail Wobr

DADBACIO
Wel... beth licech chi drafod heddi?

Mae'n oedi. Dyw ateb ddim mor hawdd â hynny. Mae'n ochneidio, gan ystyried ei hopsiynau.

Y tywydd. Mae'r haul 'di bod yn gwawdio ers wythnosau, bellach. Bob bore, cyn i'w meddwl hi glirio, mae'n cael pwl o gredu bod y gwres 'di dod 'mlaen ar ddamwain, cyn diodde'r sylweddoliad ei bod hi'n sgortsiar arall. Mesur ei diwrnodau yw'r crysau-T gwlyb rhwng ei chefn a'r dillad gwely – tri os yw hi'n lwcus. Ond allith hi ddim meddwl am symud; mae'n sownd yma, heb ymlacio na chysgu, dim ond gorwedd 'nôl a rhyw led-weddïo ar unrhyw rymoedd sy'n gwrando – y Bod Mawr neu'r Buddha neu bwy bynnag – i'w rhyddhau hi o'r carchar hwn.

Na. Fydd hi ddim isie clywed hynny.

Bwyd? Mewn bywyd arall, byddai meddwl am y syfi'n tewhau ac aeddfedu yn y cloddiau, yn hanner cuddio, hanner hysbysebu eu melystod newydd, yn chwarae mig wrth ddisgwyl gwefusau fel merched deunaw oed ar noson allan, yn tynnu dŵr o'i dannedd. Byddai'r pleser wythnosol o siopa'n ofalus, llunio prydau maethlon gan gadw cydbwysedd rhwng y gwahanol gategorïau, sicrhau nad oes ormod o gig na siwgr na grawn yn eu deiet, pwyso cynhwysion, torri, ffrio, pobi, llywio holl hud a lledrith y gymysgedd, yn dal i danio'i dychymyg. Nawr, dim ond ystyried mentro o'r gwely i'r gegin sydd angen i wneud iddi deimlo fel chwydu. Mae'n gallu clywed darnau bach o'r bwyd sych mae'n gorfodi'i hun i'w llyncu yn cronni yn ei stumog, yn barod i bapuro'i gwddf. Mae'i hanadl hi'n tynhau.

Dyw hynny ddim yn bosib.

Ok. Jyst cyn i hyn i gyd ddigwydd fe baentiodd hi'r stafell wely. Yn goch, goch, rhywbeth rhwng y ddraig a bola Mistar Urdd. Mae'n rhyfedd mor hir mae'n hala i baentio dros y lliw glas goleua'n bod. Dwy got o wyn, a hyd yn oed ar ôl hynny, niwl, ac nid eira, sy'n dod i'r meddwl. Tair cot o'r coch wedyn, a phob un yn dyfnhau, yn cynhesu, yn cysuro. Ac yn y diwedd, y pleser o sefyll 'nôl a gweld ei gwaith am y tro cyntaf, heb batsys na chrafiadau, yn berffaith. Yna, pan doedd ganddi ddim nerth ar ôl i adael, dechreuodd y welydd gau i mewn arni, a daeth i ffieiddio wrth ei chreadigaeth, fel pob duw. Bu'n gobeithio am sbel y byddai'n dod i ben â chwympo mewn cariad eto, fel rhyw fath o syndrom Stockholm, ond na. Pwy sy' isie teimlo fel petaen nhw'n napio tu fewn i botel o Châteauneuf-du-Pape?

Mae'r olwg ddisgwylgar o du draw'r ddesg yn dechrau gwasgu arni. Mae'n siŵr bod 'na reg yn y llygaid yn rhywle.

Mac'n codi'i hateb yn ei meddwl; yn dychmygu gosod sylfeini'r cymalau'n gadarn, sticio brics y berfau'n dynn yn eu hamseroedd, pwyntio'n ofalus â'r arddodiaid, dod o hyd i gorneli i'r enwau a'u haddurno ag ansoddeiriau pert rhyw dafodiaith ddethol sy'n brolio'i hachau, yna, â'r lle'n diferu o dreigladau dirifedi, cael ymgartrefu o'r diwedd. Mae'n anadlu eto.

Wel... y babi? Dyna... pam – pham?... dyna pam... dwi'n... dysgu.

Ac mae'n gwenu.

Dieithryn

Y Drydedd Wobr

TRYSOR
'Dan ni'n socian.

Yn gorwedd ar y gwair gwlyb, a'r tamprwydd yn pigo o dan ein cefnau.

Dwi'm yn cofio cysgu. Dwi'm yn cofio cyrraedd yr ardd. Dwi'm yn cofio'r glaw.

Iori wrth fy ochr, a'i ben yn fy nghesail.

Dwi'n defnyddio'n llaw fel crib i hel y cudynnau gwlyb o'i lygaid.

Mae o'n eu rhwbio'n effro.

Mae'r glaw yn fân bellach, yn gynhesach rhywsut, ond dwi'n rhynnu.

Dwi'n edrych o gwmpas. Mae popeth yr un fath yn yr ardd, nes i mi edrych i fyny a'i gweld hi.

Dwi'n teimlo'n sâl. Fel sâl car.

Mae Iori'n sylwi hefyd, ac yn neidio ar flaenau'i draed.

'Paid â twtsiad,' medda fi.

Mae o'n mestyn ei fraich ati. Anaml mae o'n gwrando ar ei chwaer fawr.

Wrth i'w fysedd main gyffwrdd ei hochr, mae hi'n symud yn ei hôl. Swildod.

'Mi ddylen ni tsiecio gynta,' medda fi. 'Rhag ofn.'

'Ni sydd pia hi,' medda Iori'n bendant. ''Dan ni 'di disgwyl gymaint o amser.'

Fo sy'n iawn. Hen ben.

Camu ati'n ara deg. Mwytho'i hymyl.

Fy llaw yn diflannu i'w chanol.

Dydi Iori na fi erioed wedi cyffwrdd mewn enfys go iawn o'r blaen.

* * *

Dan y drefn newydd, roedd pawb oedd wedi colli teulu i'r covid yn cael enfys.

Un go iawn, i'w chadw.

Roedden ni 'di bod ar y rhestr aros ers tro. Problemau gweinyddol.

Nyrsio oedd Mam, ar ward y corona, ac mi gafodd yr aflwydd afael ynddi. Doedden ni heb ei gweld ers mis cyn 'ddi fynd. Chawson ni'm ei gweld ar ôl iddi farw chwaith.

Fi a Iori yn erbyn y byd oedd hi wedyn. Fynta, er yn fengach, yn fwy arwrol o beth wmbrath. A gofalgarwch Mam yn drwch drwy'i waed.

* * *

Mae ganddi fwy na saith lliw.

Maen nhw'n diferu i'w gilydd.
Anodd deud lle mae un yn dechra' a'r lliw nesa'n gorffen.

Maint gôl ydi hi. Gôl 'rar gefn.
Ac wrth ochr y rhwyd ma'i'n mynnu bod ers cyrraedd.

Mae gwawl ei lliwiau'n dringo dros waliau. Yn goleuo'r stryd.

Ni oedd y cynta' i gael un. Pawb yn dotio.

Arogl rhosod sydd arni. Banana dro arall. Weithiau, powdwr talc.

Mae Iori'n ei bwydo efo'r beipen ddŵr. Hithau wedyn, fel batri, yn ein gwefru ni.

* * *

Wedi 'chydig o fisoedd, mi gafodd drws nesa' enfys.

O fewn blwyddyn, mi gyrhaeddodd un dros ffor' hefyd.

Ar ôl degawd, mae gan bawb yn y dre' eu henfys eu hunain.

* * *

Dwi'n gwanhau.

Mae hi'n chwistrellu nerth ei lliwiau drosta i.

Dwi'n dal ati. Nid i mi fy hun, ond er ei fwyn o.

Mae Iori, erbyn hyn, yr un oed â Mam pan ddaeth hi'n fam i mi.

Nyrsio mae o hefyd.

Addewid i fod 'nôl cyn iddi wawrio, wrth iddo wasgu'n llaw.

Ei galon aur yn pwmpio â chariad at eraill.

Mae'r enfys yn gwasgu, a dwi'n gweld llestr aur wrth ei chynffon.

Dwi'n llithro'n braf i'w lliwiau, yn fodlon ac yn falch y bydd Iori'n drysor ar waelod gwlâu sawl un, ymhell ar ôl i mi fynd.

Price

Cerddi Bois Parc Nest

Cyflwyniad Tudur Dylan Jones

Fferm yng Nghastellnewydd Emlyn, Sir Gaerfyrddin, yw Parc Nest. Bu rhieni'r tri brawd, Jim, John ac Aled, yn ffermio'r lle cyn iddyn nhw ymddeol a symud i'r dre ym 1967. Prin ddwy oed oeddwn i pan ddigwyddodd y symud, felly does gen i ddim cof o'r teulu yn byw ym Mharc Nest. Ond trwy gyfrwng atgofion Dat-cu a Mam-gu a'u meibion, mae'r wyrion a'r wyresau wedi cael blas o fywyd ar y fferm, ac wedi magu llawer o gariad at le sy'n golygu llawer i ni fel teulu hyd heddiw. Mae'r cerddi hyn yn eu gwahanol ffyrdd yn dangos y cariad hwnnw, a'r hiraeth sydd am yr hen le a'r hen amser.

Llun

(***wedi darganfod hen lun fy rhieni a dynnwyd yn y gegin***)

Ar bwy yr oedd eu llygaid, uwchben y gweddill bwyd,
Y foment y parlyswyd eu gwên ar y ffoto llwyd?

Syllaf i fyw'r mudandod, craffu i holi'u hynt
Cyn cilio o Mam i'r llaethdy, a Dat i'r clos a'r gwynt:

Gweld sbrychyn toes ar ewin nas golchodd dydd i ffwrdd,
Gweld dolydd cras Mehefin yn weiryn ar y bwrdd;

Nes gweld, â'r gweld sy'n ddyfnach, y drefn oedd i'w bywyd hwy.
Eu trem yn fy holi innau welaf fan yma mwy.

John Gwilym Jones

Parc Nest

Ar ôl deddfu'r Sa Draw
a her byw heb fwrw bant,
wnes i'm mentro untro mas o 'mhentre
i weld yr hen gartre yn Sir Gâr;
alltud wên i, gan taw pum milltir
wedd y pentigili newy', medden nhw.
Cofiwch, sai'n un i achwyn, achos
y rheol wâr hon wedd yn rheoli'r haint
rhag mynd ar wyllt mewn sawl man;
hebddi, ele pethe dros ben llestri'n llwyr; llwyddo i ledrithio mil i
drath y Mwnt, i adloniant yr Atlantig, ond heb un tŷ bach wedi'i agor
ym Mhenfro na Cheredigion.

Ond â chamau chwimwth dychymyg,
wele, wy eilweth yn facwy; drwy'r dre
yr af lan y rhiw fel un ar hast
i roi cwtsh i'r ci defed wedd 'da fi'n
mynd am wâc o ga' i ga', i ga'l gweld
manne hwsmoneth ar eu gore.

Aneirod ym Mharc Cwm-Mora
yn falch o'i borfeydd;
ym Mharc Cwm-bach, y da bach wrth eu bodd â'r haf, a'r cyhûdd
yn rifiera'r coed.
O Barc y Banc i Barc y Berth,
y cynhaeaf llafur yn aeddfed i'w fedi,
wedi dod â'r gwair i'w gadw ers amser ar gyfer y gaeafu.

Mentro heibo wedyn am foment i'r boudy,
at galon yr hwsmoneth,
a'r fuches orfeichus
yn diferynnu o hyd, fore a nos,
yn anesmwyth dan lwyth o lath,
mor falch o'i glywed yn llifo i'r bwcedi.
Wedd hi'n rhyddhad i fam a thad 'fyd,
a hwythe dan bwyse dyled y rhent i'w dalu.

Wy'n hiraethus, glwyfus wrth groesi'r hen glos, a gafel atgofion yn dynn amdana'i nes torri rhwyd y Sa Draw; wedd eu twtsh yn gwtsho, yn gatshyn!

Ma' rhyw gêm ar y gweill;
awgrym John Gwilym ac Aled
wedd e, falle... ie, siŵr o fod,
wrth roi'r gwartheg yn y ca' i gnoi'u cil; rhyw awr i whare ac ymroi i joio'n solas cynnes, hwylus cyn noswylio.
Ond â Dat yn codi peli mor rhwydd dros do tŷ pair, ma' Mam o hyd yn amheus o'i rocedi cricedol, yn carco ffin ffenest y gegin, rhag ofn.

Cerdded wedyn i'r tŷ, ac ymdopi â'r tywydd yn troi o atgof i atgof; un, am whâr yn marw; yn mynd bant i rywle cyn i finne fod.
Ie, sa draw a glywws hi druan.
Hyn yn unig a rannaf â'm rhieni –
'not cricket' wedd colli Beti.

A nawr, 'ma fi yn y rŵm ford,
a gafel atgofion eto'n tynhau;
lle hael, ond llys llym;
digonol ei fwyd, egnïol ei farn.
Yn fforwm y ffwrwme
ma' hi'n nos ar ymynysu,
ysgwydd yn ysgwydd y'n ni,
a'r storáis yn whalu'r Sa Draw,
yn lleihau a byrhau i'r dim lleia
y 'cadw hyd braich'.

Ar y rhiw 'nôl i'r dre, gweld adfeilion y gaer, wedd iddi hi Nest yn gastell. Fe ddele hi lan o fan'ny i hamddena a hela fan hyn. A harddodd hi yr union dirwedd hon? Ai hwn fydde'r gorwel wele hithe ar ei thaith ar y rhiw sha thre? Ai dros yr un dyfnion y llifai afon Teifi? O rannu'r hanes, fe'n dynesir yn gowled dynn am ein gily'. Ynom ni, yma nawr, a'n hyfory, hyderwn heb ddiferion y Feirws, y parheir y cof am y parc hwn.

Jim Parc Nest

Parc Nest

(*Dychwelyd mewn henaint*)

Mae'r hud gaed ym more oes
Ynom ar hyd ein heinioes;
Caeau a chloddiau a chlos
Yn anhygoel, yn agos.
A holl erwau llwybrau'n lles
Yn gân a stori gynnes.
Dros ein pen i'n gorffennol,
A dyna her. Mynd yn ôl
I Barc Nest ym mro Nest wnaf
Yn fore – yn fwy araf.

I'r tŷ o'r dyffryn a'r tarth;
Cofiaf y cŵn yn cyfarth,
Neu'r ubain yn eu rheibo
A'u sŵn cas sy yn y co'.
I laslanc dan y glasloer
Y gwdihŵ oedd gwaed oer.
Lle i ofni bwci bo
Yn y ddunos oedd yno.

Yno y mae Dat a Mam
Yn ddaioni sy'n ddinam;
Dau fu'n rhoi, rhoi yn rhad
Awen bur, dyna'u bwriad.
Gafael mawr, gofal a maeth,
Amynedd a hwsmonaeth.

Ai hala dom neu hôl da,
A'u gwynt a gofiaf gynta?
Neu ai gweld harddwch Mam-gu
Yn ei byd draw'n y beudy,
A'i llaw rhwng coesau llyweth
Yn godro neu'n tico teth?
Er nad oes ots ffagotsen
Dyna od yw mynd yn hen;
Diain o waith, a dyna her
Yw symud heb help zimmer.
Codi a thrin sopin sydd
Yn anos i mi beunydd.
Helbul yw hwpo whilber,
Dal rhaw, codi claw, dal clêr.
Wy'n rhy whip ac yn rhy hen
I roi dim ar y domen;
Plwco rhic, neidio sticil,
Herio bwch, ac agor bil.
Dim winshyn a dim mansher,
Neido gât na newid gêr,
Dim belo, a dim bilwg,
A'th hi'n drist, mae'n wa'th na drwg.

Aled Gwyn

Cerddi Prifeirdd AmGen

Cerddi Enillwyr Coronau

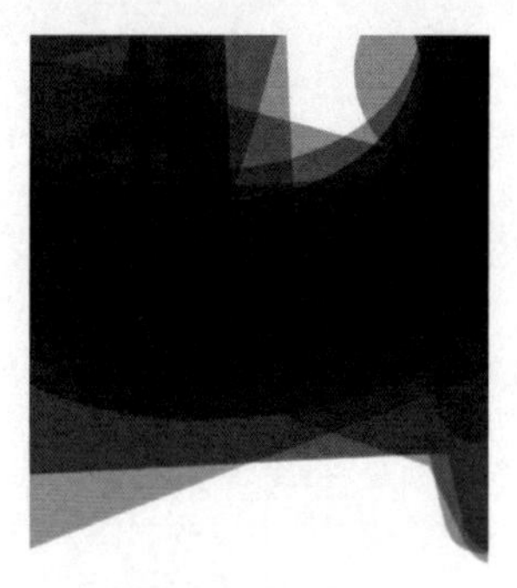

Eisteddfod Genedlaethol Cymru
Sir Conwy 2019
Cyfansoddiadau a Beirniadaethau

Dilyniant o gerddi heb fod mewn cynghanedd,
heb fod dros 250 o linellau: Cilfachau

CILFACHAU

Llwybr Arfordir Llŷn

Ar bnawn pan nad oes dim i'w wneud,
pan mae rhai'n honni – er mwyn yr heip –
nad oes gen ti a dy deip
ddim byd i'w ddweud,

mewn bro sy'n bell allan o ffasiwn,
a gwynt o bob cyfeiriad yn brathu,
pan mae cymathu'n
anochel, ac yn dipyn o demtasiwn,

pan mae'r boncyrs a'r byddar yn bigitan â'r dall
a neb yn y wlad yn siarad sens,
mae'n bryd camu dros ffens
a rhoi un droed o flaen y llall.

Ar bnawn oer, od, pan mae'r lleuad
yn wyn yn yr awyr olau, laith
mae dechrau'r daith
ar ben draw lôn ben-gaead.

Ynys Gachu, Trefor

Mae'r garreg hon
yn edrych yn wyn o bell,
fel petai'n eithriad balch o farmor,
yn sgleinio gyferbyn â'r clogwyn llwyd.

Heidia'r adar yn ôl ati o'r môr,
i fwydo'u cywion, i grawcian,
ac i stompian yn warchodol

28

'Cerddi am fynd am dro ar lwybr yr arfordir yn Llŷn oedd "Cilfachau", a enillodd y Goron yn 2019. Eleni, doedd dim modd gyrru'n bell cyn cychwyn cerdded, ac mae'r gerdd yn sôn am y boddhad o ddarganfod a chrwydro llwybrau sy'n nes at adref.'

Mynd am Dro

Mae hi'n amser, rŵan, tra mae'r byd yn llai,
i ddilyn y llwybrau sy'n cychwyn o'n tai.

Dwi 'di arfer dreifio at y golygfeydd
sy'n drewi o straeon ac yn tynnu'r torfeydd,

ond gan fod y wlad wedi cau dros dro
rhaid i'r llwybrau lleol wneud y tro.

Mae'n amser darganfod hen afon, hen allt,
ddydd ar ôl dydd, nes dŵad i'w dallt –

troedio pafin y dre fel 'tai'n laswellt gwyrdd,
gweld traciau'r goedwig mor eang â ffyrdd.

I Ben Garn y bydda i'n dŵad: fan hyn,
copa'r mynydd-pum-munud sy fawr mwy na bryn.

Ond mae pob dim sydd isio yma fel llun:
yr Eifl, Garn Boduan, Garn Fadryn, hud Llŷn.

Mae Cymru'n lein solet, o Eryri i Feirionnydd,
o'r Wyddfa wag i'r Gader lonydd

cyn i'r tarth guddio'r gorwel, yn niwl ar Ddyfed.
Mae 'na amser i graffu ar yr eithin a'r pryfed,

y coed a'r cwningod. Mae 'na rywbeth hynod
am ffraeo 'fo drain a rasio gloÿnnod.

A phan fyddwn ni heb ein cloi gan y clwy,
a phob lôn yn agor, a'r byd yn fwy,

i Ben Garn y bydda i'n dŵad wedyn
i gael cosi 'nghoesau gan wellt a rhedyn

heb chwennych y copaon sy ar draws y bae.
Dweud helô drachefn wrth wartheg y cae.

Mae modd gweld yn bell wrth sbio'n agos
ar gerrig a brigau'r llwybrau agos.

HI HI HI yn gydradd drydydd. YR HAUWR yn ail, ac am i ni weld haen newydd o ystyr yn y stori bob tro y darllenon ni'r gwaith, rhown y Goron i WNSHO a llongyfarchiadau mawr iddo.
1af – WNSHO; 2il – YR HAUWR; Cydradd 3ydd – Y WENNOL a HI HI HI.

Yng nghynhaeaf dychymyg, yr had yw ein gair ni. Gadewch iddo egino.
Annwyl chdi sy'n darllen.
Yn gyntaf oll, os wyt ti'n darllen y geiriau hyn, mae hi'n rhy hwyr i ti beidio. Ond mae hi'n debyg bod yn rhaid i mi egluro mymryn cyn i ti fynd yn dy flaen. Mae'r stori hon, ti'n gweld, yn dod o fyd tywyll iawn. Mae'r byd yma'n bodoli yn yr un byd â chdi. Ond mae'n bodoli rhwng dau lyfr mewn llyfrgell anghofiedig. Mae'n bodoli dan het hen fardd heb awen. Mae'n bodoli yng nghysgod pregethwrs sy'n yfad ar y Sul. Ac mae'n debyg mai'r ffordd orau i egluro i chdi ydi dwyn ychydig o gysgod un o'r pregethwrs hynny.
Erstalwm maith yn ôl, ymhell cyn heddiw, roeddwn i'n gwrando ar bregeth Dydd Llun Pawb. "Yr had yw gair Duw," meddai'r pregethwr. "Yr had yw gair Duw yng nghynhaeaf y greadigaeth." Ond Dychmygwr ydw i, felly beth am gynhaeaf fy nghreadigaeth i? Beth am gynhaeaf dychymyg? Yn fan'no, yn myd dychymyg, yr had yw ein gair ni. Ac os disgynnai'r had ar dir da, mae'n egino. Yr had yn yr achos yma ydi 'Mychlogyd', a'r stori hon yw egin yr had hwnnw. Ond ym mhob byd mae 'na ddrwg yn llechu, ac i bob Dychmygwr mae 'na Saer Geiriau.
Hŵrs a lladron ydi'r Seiri Geiriau, yn treisio meddyliau Dychmygwrs fel fi. Y stori hon yw egin fy nychymyg, fel dudish i, ond mae hi'n stori am gadnaddu. Mae hi'n bur debyg na chlywis di'r gair 'cadnaddu' o'r blaen. Crefft o glecian geiriau ydi 'cadnaddu', ac os wyt ti'n clecian y geiriau cywir efo'i gilydd yna mae'n bosib treiddio i ddychymyg rhywun. Dyma yw gwaith y Seiri Geiriau. Mae un Saer Geiriau i bob Dychmygwr, ac os ydi'r Saer yn llwyddo i dreiddio i ddychymyg hwnnw yna mae'n gallu dwyn tameidiau o'r dychymyg. Wyt ti'n dal i ddarllen? Ond petawn i fel dychmygwr yn medru cadnaddu, mae'n debyg y byddwn i'n medru dinistrio fy Saer Geiriau ac fe fyddai egin fy nychymyg yn rhydd i dyfu. Ond tydi hynny 'rioed wedi digwydd, hyd y gwn i.
Os wyt ti'n dewis peidio â chario mlaen i ddarllen, llosga'r cyfan a anghofia. Gwyn dy fyd os alli di neud hynny. Ond os wyt ti'n dewis darllen fydda i ddim yn bodoli mwyach a dy ddychymyg di fydd bellach ar waith.
Yn gywir i'r gair,
Dychmygol.

O.N. Croeso i gynhaeaf fy nghreadigaeth i. Croeso i Fychlogyd.

16

Enillodd Anni'r Goron yn Eisteddfod yr Urdd Eryri 2012 am ysgrifennu rhyddiaith. Addasiad o'i gwaith ar gyfer gradd MA mewn Ysgrifennu Creadigol yw stori 'Mychlogyd' am fyd dychmygol lle mae 'na Ddychmygwyr, Seiri Geiriau a gallu arbennig o'r enw Cadnaddu. Mae cerdd 'Mychlogyd' Eisteddfod AmGen yn sôn am sut mae byd dychmygol y bardd wedi newid. Bellach, y bywyd cyfarwydd 'na cyn y cyfnod clo yw ei 'byd dychmygol'.

Mychlogyd
(*fy myd draw fancw*)

Byd dychmygol oedd Mychlogyd.
Byd lle bûm i'n creu helynt,
yn cadw twrw,
yn saernïo stori.
Byd a'r 'pethe' i gyd
yn perthyn o bell i'r gwirionedd.

Mychlogyd,
fy myd draw fancw.

Ond draw fancw rŵan
mae rhyw fyd arall yn ymhél.
Byd cyfarwydd
o gofleidio,
o swatio,
o ddiffodd ffonau
a bod efo eraill.

Ond mae o draw fancw,
fel rhyw Fychlogyd arall.

Mi a' i yno,
ar hyd y lôn ddychmygol,
i fyw am funud bach
a chael y cyfan yn ôl.

Cael cyffwrdd
heb oedi,
heb rewi,
heb ddal fy nwylo fyny
nes 'mod i wedi molchi.

Cael panad
wrth fwrdd cegin
rhywun arall.
Cael Mam i chwarae
efo 'ngwallt.

Cael...
cael...
cael fel a fynnir.

Ac mae'r dro yn un braf.

Dos ditha.
Dos pan fydd y pnawnia'n ddiferol
a'r llwybrau go iawn yn rhy llaith.
Dos pan fydd dy fatri wedi darfod
a'r blawd yn brin.
Dos pan fydd 'na swnian,
pan fydd "bored" yn drybowndian.

A phan fyddi di yno,
tria gofio
mai cael a chael oedd hi.

Mychlogyd,
fy myd draw fancw,
sy'n aros,
aros.

Y casgliad o Gerddi Rhydd ar Thema

LLINELLAU LLIW

arddangosfa
[*Y Gusan*, Auguste Rodin]

Ymlusgo'n ddiogel ddiflas o lun i lun
heb weld 'run diben
i'r daith falwen
ar hyd orielau fyddai'n farw
oddieithr am ein siffrwd slei
– tewch, ferched! –
a gwich gorfodaeth
ein sgidiau synhwyrol,
gweddus,
yn gyfeiliant
i'r sylwebaeth fwll;

heibio i ryw lilis dŵr mewn pwll,
a glaw mawr ar gae
yn rhywle,
ac eglwys gadeiriol
yn machludo'n syrffedus
ar noson na welsom
harddwch gwrid ei gosber
y prynhawn hwnnw;

ymlaen at bontydd, dŵr dan niwl,
nes ein hatal
gan dalp o realaeth,
i'n golwg ni,
a'n tynnodd yn gylch
annisgwyl ei awch am gelf,
a ninnau'n gegrwth
wrth gywilydd noeth
cwlwm o gusan gain;

cyn ein hysio ymlaen
– dewch, ferched! –
o olwg anwes efydd, llyfn fel llaid
ar fron, ar fraich,
o olwg pwysau llaw,

37

Enillodd Christine James y Goron yn 2005 am gasgliad o gerddi yn ymateb i weithiau celf mewn nifer o orielau gwahanol. Yn ystod cyfyngiadau presennol Covid-19, dyma hi'n ymateb i un o'i hoff luniau yn ei chartref ei hun, sef dehongliad ciwbaidd Hywel Harries o lun cyfarwydd Curnow Vosper, 'Diwrnod Marchnad yn yr Hen Gymru'.

Siopa yn y Normal Newydd

Mae'r dyddiau'n troelli'n gylchoedd ar y dreser,
tipiadau'r cloc yn mesur onglau'r hwyr,
chwalwyd pob trefn a chipiwyd rhythmau amser,
fe ddrylliwyd siapau'r byd a fu yn llwyr.

Aeth câr a chyfaill bellach yn ddieithriaid,
a'm llun fy hun sy'n estron yn y drych;
ddaw neb i'r drws heb gamu 'nôl ddwy lathaid;
fy unig sgwrs? â'r titws yn y gwrych.

Sut galla i wneud synnwyr call o'r cwbwl
a'm bywyd fel 'sai'n symud ma's o'i le?
Gwn i: ymateb Mam i bob rhyw drwbwl
oedd gweithio llwyth o bice bach i de...

Estyn wyau, menyn, llaeth, a golchi 'nwylo
cyn cofio – tyh! – doedd dim blawd i'w gael yn Tesco.

Y Casgliad o Gerddi Rhydd

STRYD PLESER

Seirenau

Pa awr o'r nos yw hi
pan fo seirenau'n gysur unig?
Seirenau'n consurio haenau o glydwch,
pa awr o'r nos yw hi pan wyf i'n llonydd,
yr unig beth llonydd yn y trobwll hwn?
Pan fo munudau'n oriau
a'r tacsis yn tasgu,
y ddinas yn chwydu
a'r wynebau'n chwyrlïo,
yn toddi i'w gilydd yn eu rhuthr hir.

Mae'r nos yn closio ataf,
yn fy nal yn ei breichiau
o goncrit a goleuni,
yn dweud fy mod yn rhan ohoni,
na fyddaf eisiau fyth
am fy mod yn gorwedd mewn
porfeydd neon,

a daw'r seirenau i'm cysuro
unwaith eto.

'Un o'r atgofion cliriaf sydd gen i o'r coroni yng Nghaerdydd oedd yr Archdderwydd, Dic Jones, arwr mawr i mi, yn sibrwd 'Sa'n llonydd!' wrth roi'r goron ar fy mhen yn ofalus iawn, iawn. Braint fawr oedd cael fy nghoroni gan Dic a chael crwydro'r maes am weddill yr wythnos, gan fwynhau caredigrwydd ffrindie a dieithriaid fel ei gilydd wrth iddyn nhw fy llongyfarch. Cerddi am Gaerdydd oedd cerddi'r Goron, ac mae'r gerdd hon yn myfyrio ar sut y gall perthynas rhywun â lle newid gydag amser, wrth i'r lle a'r person newid.'

Llonydd

'Sa'n llonydd!' sibrydodd,
heb boeni am y meicroffôn,
a'i ddwylo garw'n dal cylch eiddil y goron
mor ofalus.

Mi wrandewais,
a llonyddu ar y maes,
yn fy ninas fy hun
gan adael i garedigrwydd gwenau
lifo trosof fel dyfroedd afon Taf.

Llonyddu yng nghanol trobwll ynni heddiw
a byw ar obaith a baneri a chanu
a chwarae mig ag yfory.

Ond mae dinasoedd yn newid,
yn ymbellhau fel hen ffrindiau
ac yn colli 'nabod.

Ac mi yden ni'n gwisgo'n
blynyddoedd fel mygydau,
un yn cuddio'r llall,
pan lithra un mi ddaw un arall yn ei le.

Bywydau hapus yn mynd yn eu blaenau
hyd nes eu bod yn cwrdd
ar gornel stryd,

yn dod i'r golwg drwy ffenest y trên.

Gall llawer ddigwydd mewn deuddeg mlynedd,
ac er pob gofal
ni all yr un dim aros yn llonydd.

Pryddest ddigynghanedd,
heb fod yn hwy na 250 o linellau: Trwy Ddrych

TRWY DDRYCH

'Dw i'n licio barddoniaeth, mae'n aros 'run fath. Yn deud hi fel mae. Mae'n ffaith i chi, yndi – barddoniaeth.'

Elwyn, cartref *dementia* Bryn Seiont

'Pwy ydach chi?
Beth? Pam ydach
chi? Sut?'

'Dw i yma i wrando. Wir, ar fy ngair.
Yma i glustfeinio am gân.'

'Pres dach chi isho!'

'Dw i'n fardd, dyna i gyd –
yma i ganu eich byd.'

'Ond mae popeth yn costio
a geiriau fel aur;
dw i'n cwffio i'w cadw
fel mae.'

'Dw i'n chwilio am gerdd –
dim mwy a dim llai –
eich geiriau sy'n drysor i fi.'

'I'w dwyn nhw?
A'u troi nhw!'

'I'w gwario nhw'n gall a'u cadw
nhw'n saff am y tro.'

'I'w cofio?'

'Am byth. I'w gweithio nhw'n gerdd
ac adrodd eich stori am oes.'

38

'Cerdd a gafodd ei chreu yn y cyfnod pan oedd pawb yn gaeth i'r tŷ. Edrych ar glipiau fideo o wyliau ei theulu y mae'r wraig yn y rhan gyntaf. Sgwrsio gyda'i chwaer trwy sgrin y mae hi wedyn.'

Trwy Sgrin (*cerdd fideo*)

Ai'r tawelwch sy'n pigo
ei meddwl i'r byw?
Ai'r tywyllwch sy'n annog
y brain i wneud nyth
yn ei phen?

Y Covid sy'n cadw
hi'n effro'n y nos.

Mae'n estyn at gysur
y sgrin a'i dihuno
o'i chwsg.

Trwy'r oriau mân
mae'n gwmni oer,
dihangfa i wlad
gorwelion pell
pan oedd ei byd
yn fwy; y lluniau llawn
sy'n well na'r cof,
y lliwiau – am ryw hyd –
sy'n drech na'i hofn.

Ond nid yw'r sgrin
yn newid dim go wir –
wrth godi drych
rhy dda ar ddoe,
mae'r lluniau'n
dangos pa mor llwyd
yw muriau ei dyddiau cul;

yn llwyddo'n wych
i atgyfnerthu'r nos.

*

Os cysgu neu beidio
daw'r bore i bawb,

yr adar sy'n canu'n
ddiofal o hyd, fel rhai
na wnaeth ddarllen
y sgript.

Neu ai gwybod mae'r adar
ei bod hi'n galaru?

Synhwyro ei hiraeth
am gysur a chroen
a mynnu ei chodi
â'u cân.

Mae'n gwrando.
Yn gwybod.

Heb allu eu gweld
eu cân sy'n ei chyffwrdd
i'r byw.

Daw eto haul.
Ond pryd?

*

Yna'r dydd, daw'r sgrin
yn fyw. Wrth chwarae bod
yn ffenest fawr mae'n gadael
heulwen sgwrs i mewn –

a hithau'n gwenu'n daer.

Pelydrau iaith sy'n estyn lôn
i drio llyncu'r pellter hyll
rhwng chwaer a chwaer
a chroen. Ac oes,
mae chwerthin
am y peth, mae codi
llaw a chwythu sws –

eu lleisiau'n gweithio
at ddod yn nes;
nes teimlo wal y sgrin.

Ai pontio'r bwlch
mae'r fideo byw?
Neu ddangos maint
y twll?

I'r ferch sy'n ysu
am fwy na hyn
wynebau
nid adnabod yw.

Rhoi cwtsh mawr gwag
i ddim ond awyr iach.

CYFANSODDIADAU
A BEIRNIADAETHAU
2000

LLANELLI A'R CYLCH

Dilyniant o gerddi

TYWOD

i gofio Dafydd a gwyliau Calan Mai

Y tro cynta hwnnw;
y plant yn bistyll lliwgar
ar lwybr y clogwyn
a phejan newydd o dywod
yn barod i'n traed sgwennu straeon.

DRUIDSTON

Unwaith bob blwyddyn,
mi fyddai echel yr haul
yn troi i'r union le.

Mi fyddai pelydryn o olau
yn llithro tros las y Preseli
a heibio i ddirgelwch ynysoedd
i'r fan lle'r oedd hud ar dywod;
i lawr rhwng meini'r clogwyni
at allor o draeth.

Ninnau'n cael ein tynnu yno
at ein cilcyn o ben draw'r byd.

*   *   *

Roedd yno ardd
a lliain bwrdd o lawnt
lle'r oedd picnic yn agor fel blodyn.

Amdani roedd pedair wal
yn lapio'r haul yn dynn
fel presant i'w agor bob blwyddyn.

*   *   *

69

'Dw i wedi sgrifennu tipyn am fannau lle mae môr a thir yn cwrdd. Un o'r syniadau sydd wedi fy nghyfareddu ers ei glywed gynta' yn Ynys Las ydi fod erydu yn un man yn arwain at greu twyni mewn man arall. Dydi cofio ddim yn cymharu â mwynhau cwmni rhywun ond mae iddo fo'i gyfoeth ei hun.'

Cofio Dafydd

Cerdded llinell y llanw
Lle mae'r tonnau'n llusgo teimladau
Allan, allan ymhell
A'u taflu'n ôl.
Clywed curiad amser,
Murmur y creigiau'n briwsioni
A'r gwylanod yn creu trobwll o sŵn.
O dan ein traed
Yn sydyn, mae'r traeth yn simsan.

Ond yn ddwfn, ddwfn
Yn y gwyrddlwyd lle mae'r tonnau'n tawelu,
Mae gronynnau'r ddaear
Yn symud yn y dŵr,
Fel cymylau aflonydd drudwy.
Yn ôl, ymlaen,
Chwalu, crynhoi a chwalu
A thynnu tua'r lan.

Yn rhywle,
Yn dawel, dawel,
Yn dyner, yn haen ar haen,
Mae'r awel yn eu hulio'n dwyni,
Yn barod i ninnau orffwys
A gwrando ar suo'r môr.

CYFANSODDIADAU

A BEIRNIADAETHAU

2001

Noddwyd gan HSBC

SIR DDINBYCH A'R CYFFINIAU

Y Dilyniant o Gerddi

MURIAU

Castell *Lego*

Eisteddai'r Bwda bach ar garped y Nadolig
a'i lygaid yn gwibio fel mewn gêm denis
o'r ***Lego*** i'r llun ar y bocs.
Bricsen wrth fricsen lwyd
fe gododd furiau'r gaer
tra bod bastiwn ei fam a'i dad
yn darnio'n y gegin.

Hon oedd y gaer,
lle gallai'r milwr bychan
ddianc mewn arfwisg blastig
i godi'r bont a chau drws
ar y rhyfel cartref

Clusten

Wrth ei ddesg,
ni feddai'r dalent
i ddianc a dychmygu
gan fod arswyd ac ofn
yn rhan o barsel bywyd
a phrofiadau go iawn
yn parlysu ei bensel,
tra bod pawb o'i amgylch
yn boddi mewn geiriau ffug.
Ond gallai deimlo'r chwydd ar ei dalcen
a blasu'r gwaed yn ei boer,
ac wrth weld llun o'i hunan
yng nghwarel wydr y drws,
gwelodd haul y gaeaf
yn machlud yn ei lygaid.

39

'Ers tua deunaw mis buom yn gofalu am ein hwyres fach Ina am o leiaf dau ddiwrnod yr wythnos; ond daeth y cyfnod clo â hyn i ben dros dro ac mae'r gerdd yn adlewyrchu'r ing o'i cholli yn ystod y cyfnod hwn a'r llawenydd o'i gweld unwaith eto.'

Ina

Wedi deufis dieithrwch,
dest i'r ardd gefn yn llaw dy dad
gan gyffwrdd pob creadur bach concrid
fel hen ffrindiau.
Cyffwrdd â phopeth,
a'r pellter rhyngom yn agen o anesmwythyd,
cyn sefyll wrth f'ymyl
fel petaet yn cyflwyno dy hun i ddieithryn.
Dy ddyflwydd yn edrych i'm llygaid
gan aros am arwydd
o'r hyn a fu rhyngom.
Yna, wedi eiliadau a fydd fel cwlwm ar linyn cof –
estyn dy law fach...
a minnau'n gafael fel dyn ar fin boddi.
Dwy law yn ymestyn dros wagle,
ac am eiliad aeth ein byd 'nôl i'w le.
Wyres fach yr haf, diflannaist o'r ardd
gan adael dy neithdar ar gledr fy llaw.

Casgliad o gerddi heb fod mewn cynghanedd gyflawn
hyd at 250 o linellau: Llwybrau

LLWYBRAU

Troi nôl

Gad i ni fynd
yn ôl at yr hanner ffordd.
Neu'r tri chwarter, 'falle.
Nôl yn bellach na'r fan lle roedd y llwybr gwyrdd
yn dirwyn yn sidanaidd dan ein traed.
A'r waliau carreg yn dal i'n cynnal.

Tu hwnt i'r cnapyn tir
lle roedd cwgn llyfn o olion traed y blynyddoedd
yn dechrau datod,
a chwalu'n rhigolau glân rhwng twmpathau'r llwyni drain.
Eu brigau'n mwfflo sŵn y croeswyntoedd
a'u cafflo'n rhwymau blêr o'n cwmpas.
Mil o dafodau chwim clebar-main yn chwipio'n bochau
a ninnau'n tacio'n araf, fesul cam,
draw at ymyl bratiog o graig.
Ein hwynebau'n cysgodi'n ddieithr dan gantel y cymylau,
yn troi rhag y gwynt, ac oddi wrth ein gilydd,
a'n hysgwyddau duon cadw-draw yn hwntio'n serth drwy'r awyr hallt.

Dilyn llinell gam o 'sgyrion deri cymalog;
eu gewynnau tyn yn duo dan fflachiadau'r cen.
Rhesiad ohonynt,
yn byseddu'r brethyn niwl
ac yn ei lapio'n dynn o gylch 'sgerbwd o ffens
a'i bwytho drwy rwyllau coch ei ffenestri brau.

A chyrraedd dibyn lle roedd drycinod llwydwyn
yn codi o'r ewyn ffyrnig,
ac yn llafnu'r aer drwy'r byddardod swnllyd.
Seiat o fulfrain gwarsyth,

31

Geiriadur

Drwy'r misoedd hir, pan oedd y byd yn fach
a chwmpawd y dyddiau'n sownd yn y filltir sgwâr,
wrth i'r oriau ymestyn fel gwe rhwng corneli'r
drysau
a'n lapio i gyd mewn gormodedd o amser sbâr...

Roedd llwybrau gwahanol ar hyd rhith-goridorau
a thrwy fyd geiriau dirgel yn dal i ddenu,
trysorau'n swatio, sŵn tipian allweddellau
yn ysgwyd y cloeon ac yn agor ffenestri.

Ac yn llygad fy meddwl rwy'n crwydro'r glannau,
Yn naddu geiriau i wead tirluniau.
A darganfod eto fod cyfoeth y co'
cystal â map os am grwydro.

* * *

Gweld gosudd yn hyrddio at Niwbwrch bell,
o'r belan, clywed gwaedd edrin.
A morllwch yn anwedd ar wyneb y môr
dros liant Sianel Gwŷr Nefyn.

Y gwyddfeirch yn rhuthro, yr ewynfriw'n wrych –
yn ddistrych dros Faes Gwenhidwy,
y rhawr o berfedd anlloeth Llŷr
i'w glywed o gylch yr adwy.

Pob gwaneg yn dyrnio, pob merin yn ddur,
pob gwibwrn a sybwll yn ddychryn.
Berw'r merwerydd a'r hoywal chwim
yn ffyrnig o gylch y penrhyn.

Ar fore gwahanol, mae'r faon yn llyfn –
pob moryn ynghwsg dan y weilgi.
Dylan yn dawel, y cesig yn ddof
a'r hefys wedi llonyddu.

O gysgod y cefnfro, â'r berris yn aur,
mae'r ertrai fel ymyl o felfed.
Gwylio o bell yr aches fawr
yn araf orchuddio'r llaered.

O boptu'r bae, mae'r llion yn cripian –
yn arllwys i'r ebach hyd at yr ymylon.
Y llanwed yn codi at wefus yr eglan
fin nos, a'r armor yn gusan ar feiston.

* * *

Gwreca fel hyn ar lygad distyll ein dyddiau;
hel ysbail o eiriau o hen, hen gynteddau
a'u hanwesu – am fod blas yr heli ar y cytseiniaid,
a sŵn llanw Awst yn atsain drwy'r llafariaid.

Hwn oedd yr haf o agor drysau,
dod i 'nabod o'r newydd, a throi tudalennau,
hwn oedd yr haf pan aeth y byd yn fach,
a bywyd yn gyfoethocach.

GENEDLAETHOL CYMRU

CYFANSODDIADAU

A BEIRNIADAETHAU

2003

Noddwyd gan

HSBC

MALDWYN A'R GORORAU

Y Bryddest

GWREIDDIAU

a'r pren ar y bryn
a'r bryn ar y ddaear
a'r ddaear
ar ddim

Unwaith, amser maith a mwy yn ôl,
i fyd yn llawn dyfodol,
fe aned mewn dwy fynwes
un wên fach –
a hynny ar hap.

A heb yn wybod,
plannwyd hedyn
o ryfeddod
mewn dwy galon.

Daeth yn sydyn,
mas o ddim,
i fwrw'i wreiddyn.

Ac un diwrnod,
heb ofyn,
daeth blaguryn

yn fory i gyd . . .

unwaith, amser maith a mwy yn ôl.

*   *   *

Fesul brigyn
mae aderyn
yn troi'r bore oer
yn gartre braf,

fesul deilen, fesul pluen
casgla'n gymen
ddodrefn ei ddychymyg
â blaen ei big,

52

'Gwreiddiau' oedd testun cerdd y Goron yn 2003 ac mae'r gerdd yn dechrau gyda dyfyniad o'r hen gân werin 'Y Pren ar y Bryn'. Mae Eisteddfod AmGen 2020 yn cyd-daro ag achlysur cofio pedwar ugain o flynyddoedd ers y Troad Allan o Fynydd Epynt – Y Chwalfa – pryd y gwelwyd dadleoli 219 o drigolion a meddiannu 54 aelwyd a 60,000 erw gan y fyddin.

Mae'r gân werin a'r gair 'gwreiddiau' yn golygu rhywbeth gwahanol eleni...

Gwreiddiau

Unwaith, amser maith a mwy yn ôl,
i fyd a ofnai'i ddyfodol,
dygwyd pren ffeind a braf
o'r bryn oedd ar y ddaear
yn sydyn, heb ofyn,
amser maith a mwy yn ôl.

Ond roedd clust y gwynt yn fain.

'Ust,' dwedodd, mae llodrau lladron
yn llusgo ar hyd llwybrau Craig y Wyddon.

'Brad,' sibrydodd.

Ac fesul deilen, fesul pluen,
paciodd yr adar bach y nyth,
twtio'u cân i gist y cof.

A daeth y nos.

Ond yna, unwaith,
ryw gyn-bo-hir ymlaen,
daeth eiliad dan leuad las,
eiliad grog,
pan oedd y gwraidd yn twco,
pan oedd, drwy'r tician, tician,
y dail bach sy'n dal y byd
yn agor eu dwrn.

Ac o grud y wawr,
rhwng y drain,
gwelwyd egin pren;
rhwng adfeilion y malurion milwra,
blagur masarnen, efallai.

Mae siwrnai'r
bugeiliaid eto'n galw.

A thra gwreiddyn, tra mynydd, tra bryn,
bydd hen braidd
yn disgwyl
geni alaw gwenoliaid
yn y nyth
ar y pren
ar y bryn
ar y ddaear.

Am nad oes 'dim'.

Eisteddfod
Genedlaethol
Frenhinol
Cymru

Cyfansoddiadau
a Beirniadaethau

1998

Dilyniant o gerddi

RHYDDID

Tician mae amser ar y silff ben tân,
mewn capeli gwag a pheiriannau ffôn:
amser digidol yn glinigol lân.

Mae amser arall allan ar y lôn,
rhwng lampau budron ar gorneli stryd
ac anadliadau diog sacsoffon;

amser a blethwyd i gilfachau mud
fel llythyr caru ym mhocedi'r sèr,
fel llythyr twrne ym mhocedi'r byd;

amser a'i gwantwm yn guriadau blêr
calonnau heb eu cydamseru'n dwt:
synchro-mesh yn crensian wrth newid gêr.

Ac yn yr amser hwnnw y mae pwt
o hanes enaid pawb, ac ambell gân
neu alwad ffôn, a phader fach ffwr-bwt.

Estyn dy law
i deimlo'r bore'n
boenus o agos
fel atgof blas,
a disgwyl am wyrth
y twymo araf
sy'n troi y tarmac
yn heol gras.

44

Ei rym i minnau a roes—â'i afon
Yn arafu eisoes,
Rhoi i'w ŵyr aber ei oes
A rhannu rhaeadr einioes.

15

'Fel yr wyth cerdd yn "Rhyddid", mae'r nawfed gerdd hon yn ymwneud â Chaerdydd. Mae hi er cof am fy nhad a garai gerdded Craig Llys-faen.'

Nawfed

Dyrchafa dy lygaid rhag chwilio am y patrwm
rhwng ac ymysg y strydoedd ordeiniedig –
gemau, metelau, enwau brwydrau'r Böer –
sy'n cadw amser eraill ar y map.
Amser y rhai a ddaeth o bedwar ban
y byd, a Chymru, dan ganu eu caneuon;

amser y marsiandïwyr aeth dros gof,
y bu eu holl bapurau a'u cofnodion
yn llenwi gwacter selerydd temlau'r Bae
ac yn fodd i fyw i'r llygod bach barbaraidd
nad oedd yn cyfri nac yn nabod gwarth
eu domi digyfaddawd rhwng muriau gwaraidd.

Does dim i'w ganfod yno. Peth ar hap
yw blagur cyfalafiaeth. Mae cathod strae
ar hyd y strydoedd gyda'r cathod dof
ar stelc synhwyrus rhwng papurau sglodion.
Mae pethau aeth o'n blaenau'n dal o'n blaen,
yn ddiffyg siâp, yn flerwch, yn amheuon.

Dyrchafa dy lygaid, tro dy gefn at y dŵr,
edrych draw at y Wenallt ac at y Garth,
gan droi dy olwg tua'r dwyrain, tan,
gan wrando yn astud, efallai, yn fendigedig,
y clywi lais yn canu Titrwm Tatrwm
rywle'n yr eira ar ben Craig Llys-faen.

CYFANSODDIADAU

A BEIRNIADAETHAU

2002

HSBC

SIR BENFRO, TYDDEWI

Y Bryddest

AWELON

'Rhys, beth a ddywedi amdanat dy hun?'
D. O.

'These fragments I have shored against my ruins.'
T. S. E.

a b c ch d dd e f ff g ng . .. .

. . . drwy ffenasd yr ystafell aros. Gwelaf. Gynion yr awelon. Yn dobio. Marmor y cymylau . . . Cymylau'n fochau. Yn weflau. Yn bidlan lipa (Shht!). Yn *sbïwch ar 'i gyrls o!* Cwmwl o dîn mewn jîns tynn. Yn ben shampŵ. Yn flewiach mân corun cemotherapi. *Nabod ni? Pnawn 'ma!*/ Faint o'r gloch ydy hi? Dwi'n chwythu cloc dant-y-llew yn fy nychymyg. Drycha yn fan'cw! Weli di yng ngododdin y cymyl vn mab marro? Yn ieuengo. Yn heneiddio. Yn madru. Ym. Mynd a dŵad. Bôn braich. Michelangelo'r. Awelon. / Yr awelon sy'n styrbio'r lliwiau ar lun scan y machlud. *Hwnna ydy o! Ond ma' hwnnw mor brydferth!* Y farwolaeth. Liwgar. Tu mewn i mi. Yn fasged o ffrwythau. Hen enw cras ydy cansar. *Fel dy sŵn di. Sdalwm.* Yn dysgu'r fiolín. Yn piwsho'r nodau. Yn stafell wely fy nghof. / *Ti'n neb, washi!* Meddai moscôd y sbarcs ar y parddu. Trwy eda'r mwg o'r jos-stic. Gwelaf wên efydd y Bwda. *Dioddefaint yw'r oll o fywyd.* Mewn craciau ar slab pafin. Mae'r Croeshoeliedig. Wrth ei ochr gylch. Budur. O jiwing gym. *Dioddefaint yw'r oll o fywyd.* A'r awel fel bys docdor. Yn gwthio i 'nghnawd. *Brifo'n fan'na?* a darganfod fy myd! Nid drwy fapiau. A thelynegion. Bellach. Ond drwy. Ogla. Fy nghnawd fy hun. / *Comonsens 'dy pob dim. Siŵr dduw! Lle rei di hefo dy gym raeg? Im pellach na Tjesdyr – Boi!* A'r awyr i gyd pnawn 'ma yn focs gwnïo   nodwydd y gorwel
          rîl yr haul   clytiau yr ychydig gymylau
a'r môr yn un pishyn taffeta glas   injanwnïo'r tonnau'n hemio'r tywod (*bandijis ydy geiria', 'nte, Mam?*) / Yn y pellter. Caf gip. Ar fetel gloyw'r Scanyr. Fel lliw afon. Ganol gaea'. Ac un ochor i'r. Ceunant. Y bardd-filwr Phillipe de Novare. Yn ei glwyfau. Marwol. Yn pryfocio mewn barddoniaeth! Ei elynion. A. Madam Sera yn troi'n llaw i. Drosodd. Yn y garafán. Yn y ffair ha'. Fel petai'n ddeilen yn ffawd. Yr awel. *Ma' gin ti fywyd. Hir. O! Dy flaen. Cer allan i chwara' / . . . Dalia hi!* Meddai hustyng (yr y uychanet) o'r dail. A glanio. Oraens yr haul. Yn glewt. Ar

58

'Am bryddest neu ddilyniant o gerddi y gofynnwyd yn Nhyddewi. Pryddest a gafwyd, gan geisio canfod pethau gwahanol tu mewn i ffurf y bryddest. Y bryddest "olaf", mae'n debyg, gan fod y dilyniant wedi mynd â hi ers hynny. Wrth edrych yn ôl arni, daeth Euros Bowen a'i gerddi pros i'r meddwl yn ddigymell. Yr oedd yn "naturiol" i mi wedyn, rhywsut, ei gofio.'

Cerdd Bros

(*cofio Euros Bowen*)

Yr oedd cystadleuaeth yn y Genedlaethol am gerdd bros
ac ef yn feirniad. (Nid wyf yn cofio fy ffugenw.)
Ni ddeuthum erioed ar ei draws. Ond yn anuniongyrchol.
Ei gerdd, 'Brain', ar faes llafur, Lefel 'O', Ysgol Dyffryn
Nantlle, 1970. O'r gyfrol *Cerddi Diweddar Cymru.* Y
dosbarth a'r athro mewn penbleth, ac yn penderfynu
ysgrifennu at y bardd er mwyn derbyn esboniad.
Eglurhad. Goleuni. Fel petai esboniad ar farddoniaeth yn
bosibl. Nerys Ann yn derbyn ateb hirfaith ganddo. Ei
lawysgrifen a gofiaf.
A stori. Oedd hi'n wir? Amdano, yn ôl y sôn, yn anfon ei
wraig i eglwys Llangywer ar nosweithiau Sul. Pob Sul? Os
deuai cynulleidfa, fe ganai hi'r gloch yn arwydd i'w gŵr:
Tyr'd! I arwain y gosber. Mae dau neu dri.
Ei wyneb: tylluanaidd bron, blin, mewn llun du a gwyn,
un o gyfres, o feirdd, ar gyfer waliau ysgolion. Gwelaf hyd
yn oed rŵan wynder ei goler gron. Gwynder lloer. Ac
eglwys Llangywer y tu ôl iddo fel nos.
Tra 'mod i'n sôn am olwg blin, dywedwyd wrthyf am
ffrae rhyngddo ef a Hugh MacDiarmid mewn cynhadledd
yng Ngregynog. Ef yn drwm ei glyw. MacDiarmid yn
gweiddi. Benben â'i gilydd.
Prynais *De Incarnatione*, Athanasios, cyfieithiad Cymraeg
gan Euros Bowen. (Argraffty'r M.C. – rhywun yn cofio?)
Nis darllenais erioed.
Yr oedd *Detholion* yn allweddol pan ddaeth y Gymraeg a
fi'n ffrindiau yn ôl.
Bu farw ar yr ail o Ebrill, 1988.
Yn ei feirniadaeth dywedodd fod y llinell: 'consuriwr y
Croeshoelio' yn 'wirioneddol afaelgar'.
Clywaf gnul cloch eglwys, cloch eglwys yn y wlad. Cloch
eglwys. Cloch eglwys.

Y Dilyniant

COPAON

mae safle ar y we

mae safle ar y we
lle cei lunio dy fynydd dy hun;

cei osod y creigiau a'r cymoedd,
cei lunio tro'r dyffrynnoedd,
a chei eu henwi
â'th enwau gwneud,
yr enwau nad oes ond ti a'u gŵyr;

ti yw'r crëwr
sy'n gosod y meini'n eu lle,
ac yn galw'r afon
i ddiferu'i thaith
tua'r tiroedd gwastad,

ti sy'n galw'r niwl
i daenu hud yr oesoedd
ar un eiliad o sgrîn;

dy ddewis di yw lliwiau'r grug,
fe gei eu plannu,
a'u gweld yn gwreiddio
a blodeuo'n wyn a sgarlad
ym mhridd heddiw.

Pa adar ddaw i drydar
ar lethrau dy fynydd di,
ac i ledu'u hadenydd
ar yr awel gynnar?

fe gei gynnau'r wawr
o flaen dy lygaid,
a gwneud i'r dydd ddawnsio'n fyw
o'th flaen;

ti biau'r hawl
i ddewis dy lwybr
tua'r man tu draw i'r niwl:

48

'Copaon' oedd testun cerddi'r Goron yn 2007. Fel un oedd wedi cael ei fagu ym Mangor, roedd gweld copaon Eryri'n olygfa gyfarwydd iawn. Ond o'r hen gartref ar Ffordd Garth Uchaf, y mynydd amlycaf i'w weld oedd Moel Wnion, mynydd cymharol isel a godai uwchben y ffordd rhwng Bangor a Llanfairfechan.

Copaon
(*I Foel Wnion*)

'Nôl hanner can mlynedd fe'i gwelwn o'r Garth
yn cyfarch fy more pan godai drwy'r tarth.

Wrth ei chefn mae'r ddau Fera, Bera Bach, Bera Mawr,
Foel Fras a Gyrn Wigau a'r ddwy Garnedd yn gawr.

A chydig nes draw mae'r ddwy Glyder a Tryfan
a phigyn yr Wyddfa'n coroni'r cyfan.

Ond er cael fy nenu gan uchder copaon,
yn ôl dôi fy llygad o hyd at Foel Wnion.

Dim ond hanner uchder yr Wyddfa yw hon
a'i siâp yn wahanol, yn llyfn ac yn gron.

Bûm ar gopa yr Wyddfa, dau Fera, Carneddau,
fe ddringais Tryfan, Foel Fras a Gyrn Wigau.

Ond copa Moel Wnion sy'n ddiarth i mi,
ni fentrais erioed ei llechweddau hi.

Fe'i cerddaf ryw ddydd er mwyn teimlo'r tarth
a chael troi ar ei chopa i weld y Garth.

Y Casgliad o Gerddi

NEWID

Patrymau

Mae 'na lun o botel wydr ar y sgrin,
a'r llais yn egluro'n hamddenol
sut y'i crëwyd
o wydr, a'r gwydr hwnnw
o silica, soda a chalch;
sut y'i chwythwyd i fodolaeth
i greu llestr gloyw-lân
yn ddrych o'r creu diderfyn
sy'n ffurfio bydoedd a bodolaeth
yn batrymau cymhleth
o niwloedd anhrefn.

Ac yn sydyn, mae'r botel yn chwalu –
ysgyrion yn tasgu'n ddinistr
i bellafion byd,
yn ddadfeilio ysgytwol
mor anorfod â'r creu.

Yn y Gellilydan, Havana, Ravensbrück,
yng ngherddi ein breuddwydion
ac ym mudandod ein hogofâu,
digyfnewid yw terfynau ein bod.

Cenaist gân

Bu'r gerdd yma'n hir yn dod.
Islais mewn llynnoedd llonydd
yn brwydro i gyrraedd glan.
Pryd tybed y clywaist ei nodau cyntaf?
Ai ar lin y fam a gollaist yn chwe blwydd oed
a'i hatgofion am fodrybedd Senghennydd
a ddeuai â'u hetiau'n gymanfa o flodau
a'u tafodau'n trydar iaith hen ddiwygiadau?
Neu ai ar neges dros dy dad at reolwr y gwaith
a'th geryddai am na fedret iaith dy gyndeidiau?

48

'"Newid" oedd testun cystadleuaeth y Goron yn 2010. Byddai wedi bod yn destun perthnasol iawn eleni. Bu llawer ohonom yn meddwl tybed sut y bydd ein plant a'n hwyrion yn cofio'r "flwyddyn newidiodd y byd". Cerdd i'r wyrion yw hon, rhigymau yn eu gwahodd i gofnodi eu hargraffiadau am gyfnod y clo mawr.
Tybed ai'r flwyddyn **y** *newidiodd y byd a gofiant, ynteu'r flwyddyn* **a** *newidiodd y byd, er gwell, neu er gwaeth?'*

Trysorau

O ffenest fy llofft yn y Creigiau,
Yn y pellter mi welaf gae
Sy'n aur i gyd ar ôl haul y misoedd clo.
Dyna lle'r awn ni, blantos.
Dewch yno efo fi,
Ac ym môn y clawdd mi blannwn focs
Yn llawn o aur y Corona.
Ymhen blynyddoedd,
Pan fyddwch chithau'n nain ac yn daid a thad-cu,
Mi ewch yno rhyw brynhawn ym mis Mai efo'ch wyrion chithau,
Pan fydd heulwen y gwanwyn wedi troi'r gwair yn aur,
Ac yno cewch ddatgloi ei drysorau.

Beth roddwn ym mocs bach y Covid?
Beth roddwn i'w claddu cyhyd?
Beth roddwn i gofio rhyfeddod
Y flwyddyn newidiodd y byd?

Rhoddwn ddarlun o ardd yn ei blodau,
Rhoddwn gân yr holl adar ynghyd
Lonnodd galon â'u trydar am obaith,
Y flwyddyn newidiodd y byd.

Mi roddaf i'r garreg adawyd
Ar stepen y drws ym mis Mai,
Rhoddwch chithau eich llun bach o enfys,
A'r rhybudd, 'Dwy fetr, dim llai'.

Rhoddi, Gwenno, y fideo a luniwyd
Â chyfarchion y teulu i gyd
I ddathlu dy ben-blwydd yn bedair ar ddeg
Y flwyddyn newidiodd y byd.

Rhoddwn fideos o Zoomio y corau,
Rhoddwn fwgwd draig goch gorau'r byd,
Rhoddwn ddarlun o'r holl guro dwylo
Fu i weithwyr NHS ar ein stryd.

Mi roddaf i gofnod o'r gwersi
Gwyddoniaeth a Sbaeneg di-ri,
A roddwyd i lenwi eich oriau
Yn y misoedd diysgol a fu.

Rhown gwestiynau y cwisiau wnaeth Owain
Ac Ifan a Math yn eu tro,
A'r storïau Nos Da gafodd Idris
Dros Zoom ar nosweithiau dan glo.

Cofnodaf rai gwerthfawr a gollwyd,
Yn eu plith ein hannwyl Eileen,
Ac aelodau o'r corau a'r capel
A'r bwlch a adawodd pob un.

Ac yno'n y bocs rhoddaf englyn
Am rosyn na chollodd ei sawr
Er gollwng petalau ei heulwen
Yn gawod o aur hyd y llawr.

Rhoddaf luniau o bob un ohonoch
Gan nodi eich oedran chi'n awr,
Gyda'r gwenau na pheidiodd â'n llonni
Drwy fisoedd yr a'fadwch mawr.

Ond mae un peth na allaf ei gynnwys
Ym mocs y flwyddyn newidiodd ein byd –
Does dim ffordd i gofnodi y gwacter
Ddaeth o golli'ch anwesu i gyd.

Y Dilyniant o gerddi digynghanedd

GWYTHIENNAU

Gardd Achau

Ar fur y gegin
mewn ffrâm gymesur daclus
y mae gardd achau fy hil
yn anweddu ym more cynnar
ein cenedl.

Pob cangen ohoni'n
dirwyn yn wythiennau duon
o enw i enw.

Bu rhywun yn ymchwilio
a phalu ymhlith y dail
gan ddilyn y gwythiennau hynny
i lawr drwy hydrefau'r canrifoedd
i'r fan lle mae hanes a chwedl
bellach yn un.

Minnau o'u canfod
yn profi am eiliad
yr hen hen gyffro
o berthyn.

Coed

Ein hannibyniaeth
a'n gwnaeth yn goedwig
oherwydd anadlwn o'r un pridd
ac ymgyrraedd am yr un awyr.

Cyd-heneiddiwn
heb etholedig o'n plith
na gelyn gan wynt.

Un ydym yng nghymdeithas y gwreiddiau,
mor gymdogol glòs,
mor ddychrynllyd o unig.

63

*'Atgof o ddoe a heddiw yw'r profiad y tu ôl i'r gerdd yma.
Lle bu bywyd, mae'r aelwyd yn oer erbyn hyn.'*

Siop

Unwaith
bu yma aelwyd
a'i llond o sŵn trafod a chwerthin
pan ddeuai anfarwolion y pridd
o wythnos i wythnos
i fwrw eu llinyn mesur
ar bregethwyr y Sul
ac i ddatgymalu'r neges.

Dyma San Steffan y fro
a Senedd llawr gwlad.

Trafod yr organ fach
a'i brest dragwyddol gaeth
wrth wasgu'r niwl
ar 'Gopa Bryn Nebo'.

Trafod taenu ystodau,
sathru a thacluso heulogydd,
gafra a chladdu tatws
yn y cwtsh petryal.

Dynion y pridd
yn ymgasglu ar lawr dyrnu'r Pethe,
â threiddgarwch yr eryr
ac ysbryd y golomen.
Eu lleisiau mor arw â rhisgl
a'u dwylo'n geinciau i gyd.

Minnau'n gwrando,
ar gwsmeriaid brith
yn llusgo'u hysbail at wrych yr ardd
cyn claddu'r esgyrn tan yr oedfa nesaf.

Heddiw
nid oes yma aelwyd.
Dim trafodaethau a thynnu coes,
dim cymdeithas,
dim llawr dyrnu,
a dim ysgol na siop.

Dim. Dim.

Does yma bellach ddim byd.

Y Dilyniant

TYFU

Ac eto, erys o hyd yn y rhanbarth hwn gymdeithas [na] wna faint bynnag o ymwthio iddi gan boblogaeth newydd ddi-Gymraeg ddim oll i ddileu'r cof am ei chyfanheddiad mwy cyflawn ar y tiriogaethau hyn.

Simon Brooks a Richard Glyn Roberts,
Pa beth yr aethoch allan i'w achub?

Fy un twyll

Weithiau,
yn wystl i hormons
neu â'i hanadl yn drewi o chwd y bore
neu â'i bol afrosgo'n gwneud ei chwsg yn gam,
byddai'n gofyn: ydi o werth hyn?

Ac weithiau,
byddai'n holi: ydi hi'n deg
geni hwn yn un o bobl sy'n diflannu –
ei fagu mewn pentre sy'n dywyll yn y gaeaf,
ei yrru allan i chwarae â phridd a gro
a'i suo i gysgu ag emynau cnebrwng?

Byddai'n pesychu chwerthin wrth glywed
geiriau nobl ein parhad: dydi traddodiad
yn ddim ond moeli'n ifanc fel tad a thaid;
dydi etifeddiaeth yn ddim ond mynd, yn frain
ryw bnawn wedi'r angladd, i dŷ oer
i fachu llestri a dodrefn retro,
troi trwyn ar ornaments.

Ond wedyn,
er bod y darfod yn cicio'n hegar yn y nos,
pa obaith sydd ond hwn?

Caiff ddriblo cerddi yn Sycharth
heb ddallt ei fod yn fwy na bryncyn glas;
caiff fildio wal â'r Bruce a'r *Oxford Book*;
caiff godi caer yn Ninas Dinlle
a rhedeg ras â llanw ynys Llanddwyn.

Efallai y gwnaiff o dŷ
o ddarnau Lego'n gweddillion ni.

52

Roedd 'Trydar', cerdd ola'r dilyniant 'Tyfu', a enillodd Goron 2014, yn ymateb i ddadfeiliad strwythurau cymdeithasol mewn cymunedau Cymraeg, ac yn awgrymu bod y cyfryngau cymdeithasol yn achubiaeth:

Ond cau dy lygaid ar wacter y coed,
a gwranda ar y trydar diarbed [...]
yn gwibio'n drydan drwy oerni'r aer.
Mae'r coed yn noeth ond ni bia'r awyr.

Mae'r gerdd hon yn dweud – er bod y we wedi creu cyfleoedd i ymgynnull yn ystod y cyfnod clo – na all cwrdd ar-lein byth gymharu â dod at ein gilydd yn y cnawd.

Mae Angen Maes

Dydi'r trydan sydd mewn trydar ddim yn tycio;
dydi'r awen ar y we ddim cweit 'run fath.
Fe aiff ein llais ar goll mewn awyr eang.

Dydi'r golau ddaw o sgrin ddim patsh
ar y dallt sy'n dod o dwtshad –
ysgwyd llaw, cofleidio, shîts yr Orsedd
yn cosi coesau noeth, stamp
yn gwasgu inc i law, yn nod o berthyn.

Dydi'r bwrlwm ddaw o beiriant ddim yn berffaith –
'wneith 'tro i lenwi'r gwacter, ond bydd cael
ein cyrff yn crwydro'r cae, cael clywed ogla'n gilydd,
rhedeg drwy strydoedd tre, pentyrru gwydrau plastig,
fel cusan feddw, felys flwyddyn nesa.

Mae angen maes – lle i adar
amryliw gael heidio i'r unlle,
troedio'r un tir am wythnos o Awst;
cae gwyrdd a'i lond o'n gwreiddiau, ei lwybrau'n ras
rhwng prams a chyrn band pres.

Mae angen maes,
efo'i fwd dan draed a'i finiau'n drewi,
dramâu ar dracs, caneuon mewn corneli:
y cae sy'n dal holl symudiadau'n hoes,
o ddawnsio i Cyw, a bownsio ym Maes B,
i straffaglu i godi'n y Gymanfa.

Mae angen maes:
pebyll sy'n gwneud prifddinas
dros dro. Darn o dir
sy'n gorlan i'n disgleirdeb,
sy'n fyw â'r hyn allen ni fod.
Mae angen maes.
Mae angen Steddfod.

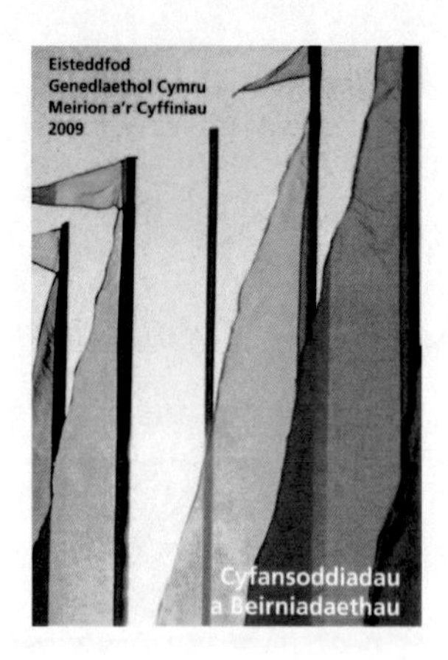

Y Dilyniant o Gerddi

YN Y GWAED

(Er cof am fy ewythr a fu farw rai dyddiau cyn y Nadolig 2003, wedi brwydr ddewr yn erbyn clefyd motor niwron. Roedd yntau, fel ei dad o'i flaen, yn weinidog yr Efengyl; ac mae ei frawd, sef fy nhad, yn para'n gapelwr selog)

Dweud Adnod

Pan oedd ofon ohoni
fel hoelen foel ynof i,
a'r adnod yn ddefod ddu,
luosill i'm parlysu,

deuai'n ddoeth broffwyd neu ddau
i'm cysuro â'm caseiriau:
'Ryw ddydd, fachgen, ar f'enaid,
byddi di'n gwneud gwaith dy daid!'

Marwnad y Pregethwr
(i'm hewythr)

Rywfodd, er ei ddioddef
diwellhad, deallai ef
mai hon oedd awr fwyaf mud,
fwyaf huawdl ei fywyd;
awr fain o benderfynol
i ymroi heb ddim ar ôl.

Ond er i hyn dorri'i hwyl,
gwenai'n styfnig o annwyl:
roedd dioddef yn ddefod,
roedd Duw'n y boen, roedd Duw'n bod,
ac Aled, â'i gred mor gry',
yn holliach gan anallu.

Yn ei ddim roedd e'n ddameg,
yn byw'r Gair heb air o'i geg
nes roedd, fel 'tasai o raid,
y logos yn ei lygaid.

48

Enillwyd y Goron yn 2009 gan ddilyniant o gerddi caeth, ac, o'r herwydd, nid oedd y llawenydd yn unfryd.

Coron 2009

Pan fydd y *flak* yn hedfan a'r llwy bren
fel pastwn, a grenêds yn dod o'r meic,
mae'n dda o beth cael coron am eich pen
a honno'n dynn fel helmed motor-beic.

A phan fydd beirdd a gafodd eto gam
yn grac, a'r gwybodusion mawr a mân
yn honni gwybod yn eu calon pam
y gwnes i'r hyn a wnes i gyda 'nghân,

neu pan fydd bois y bar, y clos a'r lôn
yn dweud eu bod nhw'n clywed bod y gwaith
yn gontrofyrsial, wir, heb unwaith sôn
am grefft y gerdd, nac am ei thestun, chwaith,

sdim ots: troi'r gân yn glecs yw ein traddodiad ni –
a diolch byth am hynny, ddweda' i.

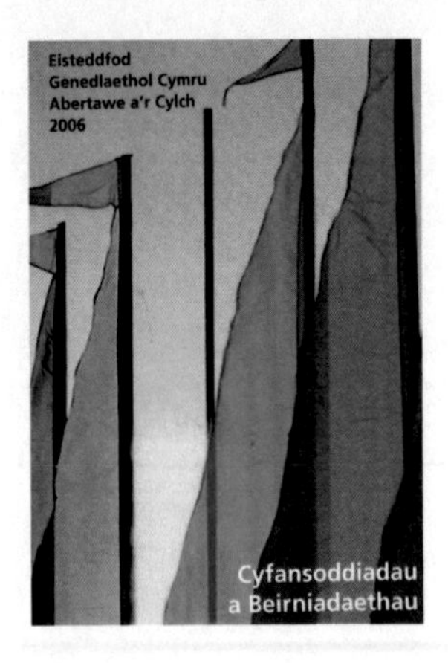

Y Bryddest

FFLAM

Cân y Saer Maen 1988

Nid hon yw'r garreg
y naddais arni'r geiriau:
'Hyd yn oed ymysg fflamau ffyrnig
gellir plannu'r lotws aur'.
Mi fyddwn wedi holi'r gŵr gweddw
beth oedd ystyr peth felly,
a mentro dweud
y byddai'n well iddo
fod wedi caniatáu i'r fflamau
losgi'r beth fach yn llwch
na'i gadael i bydru
yn naear oer gleiog Heptonstall.
Ond fedrwn i'n fy myw
ddod o hyd i'r geiriau
er ein bod ni'n dau
yn siarad yr un iaith,
unwaith.
Dim ond saer maen o'n i
ac yntau'n Fardd.

Pwy yw?

Pwy yw hon,
yr Alpha Phi Kappa Psi
sy'n strytian
drwy goridorau Smith
gan adael pryfed tân
yn ôl ei chamau?

Pwy yw hon
sy'n gwisgo'i chneuen goeg o gorff
ym mhlisg parchusrwydd,
yn mygydu ofn
realaeth tywyll ei difod
â gwên yr hunan ffug?

48

'"Fflam" oedd testun y Goron yn Eisteddfod Abertawe, 2006 a Gwyfyn oedd fy ffugenw i. Gwrthrych y cerddi oedd Sylvia Plath, y bardd a'r llenor a drefnodd ei "ffarwél perffaith" ei hun yn 1963, gan nad oedd methu i fod y trydydd tro. Delweddau ohoni hi ydi'r fflam a'r gwyfyn, fel ei gilydd.

Ond fy mhrofiad personol i rhwng Mawrth a Gorffennaf eleni a geir yma.'

Pe bawn i

Pe bawn i'n wyfyn
gallwn fentro, fel cynt,
yn hyderus ddi-ofn
tua'r golau.

Gadael fy ogof o fyd,
yr ynys gaeth
a'i thawelwch gormesol,
cefnu ar y cysgodion,
llacio'r gefynnau
a chodi ar adain.

Cael arogli'r mwg melys
unwaith eto
a gwylio'r ffenics o fflam
yn cydio,
chwyddo,
blodeuo.

Ond beth petai ysfa'r munud,
yr addewid o ryddid,
yn dileu pob ofn
a minnau'n plymio'n ddi-hid
i galon y fflam
gan ildio
i anwes gwe'r petalau,
a'r llwch aur
yn glynu wrth fy ngwefus
fel cusan cariad?

Efallai
mai aros yma sydd orau;
swatio'n y cysgodion
a'm llygaid wedi'u hoelio
ar y pen pìn o olau draw acw.
Dim ond syllu o bellter diogel
a diolch nad gwyfyn mohona i.

Cerddi Prifeirdd AmGen

Cerddi Enillwyr Cadeiriau

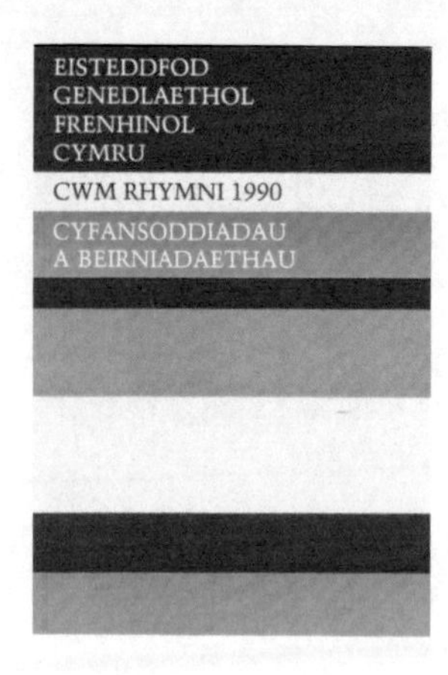

Yr Awdl

GWYTHIENNAU

Y mae hen afon yn rhan ohonof,
Yr oedd drwy'r oesoedd yn golchi drosof,
Daw o angerdd y cyndeidiau angof
I fwrw ei hun yn ferw ynof,
Hi yw fy ngwaed, hi fy nghof—yn nyffryn
Y dŵr a'r ewyn sy'n llifo drwof.

* * *

Wrth geisio cofio 'nhad-cu,
Ni welaf ond y gwaelu:
Lluniau bachgen o henoed,
Llun ŵyr o benllanw oed;
Ei egni ef yn gwanhau
A'i wedd yn ddrych o'i ddyddiau.

Ond er hyn, erfyn ei ddod
'Wnâi hogyn-dwylo-swigod
Unwaith, pan yn crymanu
Â dwrn o dân mewn drain du;
O'i ôl ei ddawn, gwael oedd hi:
Stori o lanast ar lwyni.

Oedd glawdd ei gywilyddio
Nes daeth i'w raid ei daid o:
Cryman, chwiban ac awch oedd
Yn drech na chnwd o wrychoedd;
Amynedd yn crymanu,
Ôl llaw ei bwyll lle y bu.

Yno yr oedd yn ŵr iau
A'i wyneb fel f'un innau,
Roedd cynnwrf rhyw ddoe cynnar
Yn bywhau ei 'sgwyddau sgwâr;
Yno roedd llanc, ac roedd lli
'I wythiennau'n ffraeth a heini.

Ei rym i minnau a roes—â'i afon
Yn arafu eisoes,
Rhoi i'w ŵyr aber ei oes
A rhannu rhaeadr einioes.

15

'Cerdd am eni plentyn – Carwyn, y mab – yw awdl Cwm Rhymni, 1990.
Ar 14 Mehefin, 2018, ganwyd Deio – plentyn i Carwyn a Mari.
Mae hynny wedi fy ngwneud innau'n Daid!
Oherwydd y cyfnod clo eleni, fel sawl taid a nain arall, bu'n chwith peidio â'i gael acw yn dweud yr enw hwnnw o gwmpas y lle.'

Gwythiennau bach newydd

Yn yr hen afon mae pyllau'n cronni,
o naid ei rhyddid daeth llyfnder iddi;
ond yna daw llun dros daeniad ei lli,
llun fel glöyn pan fo'r lliwiau'n gloywi;
daw ŵyr llawen i ddolenni'n breichiau,
wyneb i wythiennau'r gobaith heini.

Croesi'r rhiniog mae'r hogyn,
bochio i gwrdd ci bach gwyn,
rhoi un bys groes-graen ei ben,
dan ei fol – dwyn ei fowlen.
Bwydo'r gath – mae twmpathau
o fat i fat, llond berfâu.
Is y grisiau, i groeso
bws y tŷ – a thynnu'i tho.
Gwyrth ei bêl... wel! gwerth y byd,
myn ei bownsio – am ennyd,
nes cofio am Arch Noa,
rhua'r llew ar y lleill – WAA!
Codi tŵr blociau cadarn,
yna sioe o'i chwalu'n sarn.

Troi at act y sŵn tractor:
er tiwnio mawr tonnau môr
o fol un gwyrdd, fel un gwyn –
uchaf yw sŵn y cochyn.
Mae hau sanau'n ei swyno
a gesio iaith y jig-so,
adeiladu'i dŷ bach del
a geiriau lond y gorwel
nes sylwi ar bensiliau
a dalen wen i'w mwynhau
heddiw. Pa liw ydi plu
alarch? Piws, mae'n dyfalu.

Mae'n llifo drwyddo, drwy hud, – yr un wich,
yr un wib lawn bywyd;
ar wyneb afon mebyd,
yr un byw sy'n cyffroi'n byd.

I

Yn y dechreuad creodd duw yr olew.
Dyna oedd efengyl y Beibl mawr hallt
A dyna'r oedd y creadur yn ei glogyn gwlyb
Efo gwymon drwy'i wallt i gyd a physgod
Yn slywennu dros ei fysedd yn ei weiddi
Wrth sefyll yn droednoeth yn y môr.
Pan welais i o'n parablu'r diwrnod o'r blaen
Fel hen ddewin ar y graig yn trio troi'r
Holl lanw mawr blin am yn ôl tua'r gorwel
Doedd neb arall yno ar y lan yn gwrando,
Neb ond fi yno'n gwylio a gwrando a gweld
Ac yn nodi'n dawel fod y cyfan yn digwydd
A geiriau ei bregeth o fel plu gwylain celain
Ar goll ar y gwynt rhwng genesis a'r môr.

II

Pe baet ti'n agor dy groen rywle'n y canol
A datod botymau dy gefn fesul un, a gwneud hynny
Fel y mynnet – yn dyner fel plygu adenydd
Neu'n frwnt nes bod dy gig di'n frau i gyd;
Pe baet ti'n cloddio dan gyhyrau dy wyneb
A bodio drwy guddfannau dy rydwelïau,
Dy wythiennau'n sibrwd o'u gwahanu â'r cnawd
A gwynder noeth dy esgyrn yn dy ddallu;
Fe daret yn rhywle ar dy ganol mawr melyn
Mor gynnes â chwpanaid o heulwen
Yn nythu yng ngwaelodion dy waelod un
A'i godi fry yng ngorfoledd y darganfod ...
Ond wedyn, ni fyddet ond cragen wag
A'r brain yn clegar ar lan y twll lle'r oeddet ti.

Cerdd fach am y rhyfeddod syml
sydd mewn plannu hadau a'u gwylio'n tyfu.

Garddio

Gweithred hardd ydy garddio. Yn araf

cei wared â'r rhuo

yn dy ben, er gwaethed y bo;

cei freuder, mwynder y mendio

a rhyw reidrwydd dirodres, yn haul braf

ar ddysgl bridd gynnes,

i godi rhaw, torchi llawes,

a phlannu hadau llysiau lles.

Eisteddfod Genedlaethol Cymru
Sir Conwy 2019
Cyfansoddiadau a Beirniadaethau

Awdl neu gasgliad o gerddi mewn cynghanedd,
heb fod dros 250 o linellau: Gorwelion

GORWELION

'Mae hanes yn adrodd yr hyn a ddigwyddodd,
barddoniaeth, beth allai fod wedi digwydd.'
(Paul Ricoeur, *La métaphore vive*)

The Bard, Thomas Jones (1742-1803)
© Amgueddfa Genedlaethol Cymru

Yn oriel yr hen elyn
y saif yn syn.

Yma, mae'n dawel, fel Llanilltud Fawr
ynghwsg cyn sang y wawr, neu cyn i wawl
ei fflam oleuo, yn Nhrefflemin,
fwthyn sang-di-fang o argyfyngau
mam a phlantos, beunos-beunydd.

3

Wil Tabwr oedd ffugenw Jim Parc Nest
yng nghystadleuaeth y Gadair yn 2019.
Dyma ddychmygu beth fyddai ymatebion y cymeriad hwnnw – un arall o greadigaethau Iolo Morganwg –
wedi iddo fe ddeall y daw i Gymru, o'r diwedd,
Senedd i synfyfyrio, ac i lywio gwlad.

Ymatebion William Tabwr

Drwy 'Sa Draw!' y straeon
am bla'r Fogfa Fawr
o unigrwydd dagrau rhengoedd yn trengi
a nyrsys yn gwylad yr arswyd,
fy ngwlad fyn, yn ei hadfyd,
dorri'i rhych ei hunan drwy'r drychineb.

Un stori yw hi, ymhlith straeon
am y fogfa drista' erioed
yn hanes cartrefi'r henoed;
y nyrs a'r claf yn aros i'r clefyd
daro ar yr union funud i'w rhoi i'r un fynwent;
er y 'Sa Draw!' a'i ystrywio, eu hawl yw dal dwylo
eiddil ei gilydd rhag eu hynysu gan ddial y gelyn;
ond er na fu dim duach iddi'n ddiweddar,
daeth un llygedyn fel gwawr ar dorri;
un pelydryn o fagddu'r pla;
o'r diwedd, caed Senedd, sy' nawr yn arwydd
o'i hiraeth am wirio'i hyfory, heb waradwydd
ei chamreoli gan Brydain ynysig y Saeson.

Bu glaf, bu wlad anafus.
Bu felly ym Muellt.
Bu gwarth esgeuluso'i Sycharth
nes i'r Sais, Hal, ei losgi'n ulw.
Bu ei hiaith ar fynd i'w bedd.
Bu, ac ni bydd ond bedd i'w Chapel Celyn.
Bu gwaeth: daeth y Diawl
â'i fraw obry â'i fwd i friwo Aber-fan;
diwedd ei phlant oedd ei phla hi.

Ond erbyn hyn, mae hi'n well.
Adre y daeth o dredîn
ei chaethiwo â hagrwch ei thaeogrwydd.
Diolch i'r drefen, fe gofia'i henw,
a'i chartref hefyd; ond ei symud sy'n
lled araf o hyd, ac mae ganddi bellter i fynd
cyn cropian at y fan y dylai hi fod;
ei nod wedyn, ddydd a ddaw,
fydd ei hiacháu a'i bywhau â'i hunan-barch,
fel hithau'r Saesnes, drws nesa,
oni bai pan gaiff honno bwl
o ildio i ffroenuchelder.

Y Casgliad o Gerddi

TIR NEWYDD

i

YNYS Y PASG

Ni wyddom, neb, pwy oeddynt,
y gwŷr o garreg
a naddwyd yn niwl y blynyddoedd
gynt; y gwŷr
di-wên, di-wg,
yn galed, oer eu golwg,
a thragwyddoldeb yn eu hwynebau
hir.
Ond gwyddom hyn –
y safasant yn rhes i fesur
arafwch y canrifoedd
yn nadreddu ar hyd ruddiau
hudolus eu hynys hardd;
sefyll yn lleng ddisyfyd
i wylio hynt yr heuliau
o oes i oes wen.

Ai byddin gyfrin, gudd
yw hon, a luniwyd gan hud
rhyw Wydion llawn direidi
eonau'n ôl?
Ai ef a'u tyfodd
fel coed cyntefig
o bridd eu bro?

Eu meithrin yn gatrawd frawdol
o arwyr i herio
ciwed anweledig
o elynion?
Neu a luniwyd
hwy'n haid o ddarnau gwyddbwyll yn y llwydwyll oer
a'u gwasgar hyd fwrdd chwarae'r
duwiau, i aros ar eu sgwariau gwyrdd,
yn gôr ar hanner gêm,
gêm a aeth o gof
hil a lethwyd ers cenedlaethau?

18

'Cyfansoddi cerddi am leoedd pell i ffwrdd fel Ynys y Pasg a wnes i yng ngherddi'r Gadair. Gyda'r Coronafeirws, mae'r tir newydd yma reit yn fama.'

Tir Newydd Arall

Unwaith, gryn ddeuddeng mlynedd
yn ôl, eisteddais mewn hedd
yn nhir hud y gadair hon,
yr haul ar fy ngorwelion
a dim i gymylu'r dydd
yn awel y Tir Newydd.

O nefoedd fy ystafell,
yr oedd poen rhyw diroedd pell,
cyflafan diwylliannau
yn gân oedd mor rhwydd i'w gwau,
eu huffern yn anghyffwrdd
a'u ffawd ganrifoedd i ffwrdd.

Heddiw nawr, drwy'n tiroedd ni
â'i wae heriol i'n hoeri,
yn ein plith ymledodd pla,
cur einioes y Corona,
y rheibiwr diarwybod,
ddydd i ddydd, clywn ias ei ddod.

Yn nos hunanynysu,
arteithiau yw'r dyddiau du,
wardiwn yn ein carchardai,
bod fel tyrchod yn ein tai,
ofnwn bang cyflafan bell
a'i dyfod i'n hystafell.

Er yr haul, bu farw'r ha', – fe wingwn
        yng nghrafangau gaea',
  â'i wedd oer, mae'r mynydd iâ
  yn fy ymyl, yn fama!

Awdl ar fwy nag un o'r mesurau traddodiadol,
heb fod yn hwy na 250 o linellau: Arwr neu Arwres

ARWR

Mis du ...

Sŵn trên yn rhuo ei anadl.
Twnnel yn ochneidio.
Un swae olaf. Noswylio.

O fwa'r bont ofer yw'r byd heno.
Tynnaf fy ngwynt hefyd
yn araf ataf.

O hyd mae'r lein yn f'ymorol innau.
Mae'i rhythm mor ewn. A cherbydau'r
hen amserlen yn nesáu.

Trwy gaddug, mentro gweiddi.
Rhuthr o wynt. Rhith. A thrên yn boddi
yn ei sŵn fy nghrochlais i.

O olau'r brys chwala'r brain
a'u hacen uwch y traciau'n llefain.

Neidiwn, pe meddwn adain ...

* * *

Y dyddiau byrion diddiwedd ...

Bwrw heddiw o'r golau'n gystuddiwr gwelw.
Pwy yw'r arluniwr i'r perwyl hwnnw
sy'n gelfydd ei gerydd? Ei frws garw
yn dwyn haul fy myd yn ulw eto.
A'i ddwyn i'm herio, a'r dydd yn marw.

3

'Ym mis Mawrth 2017, a finnau yn twtio fy awdl, roeddwn i a chriw o ffrindiau yn ceisio hudo Rhodri o'i weithdy yn Ysbyty Ifan i gìg yn Cell B, Blaenau Ffestiniog. Ond doedd dim yn tycio. Roedd dedlein ganddo yntau, a chadair i'w gorffen. Gyda hanner tafod yn fy moch, fe roddais gyngor iddo am ei maint, ac am siâp fy nhŷ. Doedd yr un ohonom, bryd hynny, wedi dychmygu mai acw y byddai hi. Ond pa le gwell iddi bellach?'

Cerdd o fawl i Gadair 2017

Ym Mawrth yr oedd cellwair mwyn,
a gwên rhwng hogiau'r gwanwyn.
Ofer dy gael i'r dafarn,
a di-fudd newid dy farn,
ac i'r un mewn gweithdy'n gaeth
gwnes neges o anogaeth:

"Gwna di, Rhodri, gadair hardd!
Yr wyf am fod yn brifardd
ym Môn eleni, mi wn.
I f'aelwyd, nid pafiliwn,
mae eisiau iti'i mesur –
siwtio bardd wna seti byr!"

Mehefin a'i gyfrinach
yn hwyl y bardd. Tawel bach
oedd piau hi; saernïo
geiriau'i gelwydd afrwydd o.
Nes deuai Awst i greu stŵr –
i saer groesawu'i arwr!

Ond di-wên fai f'Awst innau
heb yno gadeirio dau,
fel petai'r gadair yn gerdd
yn dangos fod dau angerdd
tebyg eu gweledigaeth
yn naddu ein canu caeth.

Mae Tachwedd ar wedd y pren,
ofna annwfn ei onnen,
oera'r waedd yn ei ruddin
a'r derw mor drwm i'w drin.

Mae gwreichion uwchlaw'r bonyn
fel sêr a'u hysgafnder gwyn.
Neidio ar hyd brigau'r drain
wna beichiau'r blagur bychain.

Ond yn goch mae dyn yn gwau
dyfodol rhwng deufydau.
Mor barhaol yw'r ddolen,
fel haul trwy grac, fel trac trên.

Lôn oes a ddilynwn ni,
lôn at lygad goleuni.
Lôn y lleuad, lôn adar,
y lôn uwch at galon wâr.

Rhodri, mae'r gadair adre,
ar fy llw acw mae'i lle:
nid yw'n unig yn trigo
yn fan hyn o dan fy nho.

Ni ddaw un bardd yn y byd
i feddiant un gelfyddyd
ond ar log. A chadair les
yw hon sydd yn ein hanes.

Hi yw gorchwyl dy ddwylo,
dy barhad â chrefftau bro.
Hi yw pris dy artistwaith,
dy wên wrth orffen dy waith.

Dy waith di fydd hi o hyd
i'w chael, ac i'w dychwelyd.
Rhyngom, tu hwnt i drengi,
rhannwn Awst a'i derwen hi.

Col, *Penrhynnwr* a *Weiran Bigog* yw'r beirdd a osodaf i ar y brig. Yn fy marn i, haedda pob un ei gadeirio, ac artaith fu gorfod dewis rhyngddynt. Wedi hir ystyried, penderfynais fwrw fy nghoelbren, fel fy nghydfeirniaid, o blaid hoen ac afiaith *Penrhynnwr*. Ond rhaid dweud hefyd fy mod yn teimlo i'r byw dros *Col* a *Weiran Bigog*, beirdd rhagorol a fu'n enbyd o anlwcus eleni.

Y Dilyniant o gerddi mewn cynghanedd gyflawn

CLAWDD TERFYN

Y Ferch wrth y bar yng Nghlwb Ifor

Yn fan hyn, aeafau'n ôl,
yn ddifaddau o feddwol,
fe'i gwelais; estynnais stôl.

Ordrais beint ar draws y bar
a'i gwylio, yn llawn galar,
yn ei sgert trwy'r mwg sigâr.

Yn ei llygaid tanbaid hi
roedd 'na gefnfor o stori,
a hyder a direidi

yn eu llawnder i'n herio,
trwy ryw wyrth, y dôi ein tro
ond a dal i'w lled-wylio ...

Ym mrad yr edrychiadau,
yn sŵn ein dawns ni ein dau,
am ei swyn mi es innau

yn rhy ddedwydd freuddwydiol,
yn ddifaddau o feddwol,
yn fan hyn, aeafau'n ôl.

26

Ymateb i 'Y Ferch wrth y bar yng Nghlwb Ifor' – cerdd agoriadol dilyniant buddugol 2011. Yn y gerdd honno, mae hogyn ifanc yn hiraethu am ferch a welodd yn yr un fan, flynyddoedd ynghynt.

Wrth y Bar (Wedi Degawd)

Pwy ydi'r hogyn unig? Hwn a'i ben
yn ei beint o ffisig,
uwch y bar yn gwlychu'i big
yng Nghlwb Ifor? Mae'n orig mwg sigâr
a chân o alar am ferch annelwig,

yn nos o dân. Ac ar stôl, eleni
o fy mlaen i'n rhithiol,
mae'r bachgen o 'ngorffennol
yn fan hyn, aeafau'n ôl. Ond eto,
iddo heno mae 'na wedd wahanol.

Mae'n hwyr; mae'n hawdd synhwyro yn huddyg
blynyddoedd aeth heibio
nad ydw i'n ei nabod o,
yr hogyn a'i frest yn rhwygo, y dyn
a waeddodd am un a hi ddim yno.

Gyda hel y degawd ei hun o olwg,
yn y niwl, dieithryn
wyneb hir sy'n llenwi'r llun.
Mae'n od, ond a minnau'n hŷn, yn nolur
ei awr o wewyr, gall fod yn rhywun.

Heibio â'i awyr aeth bywyd – heb aros.
Ac mae'r bar fu'n swnllyd,
a'i fwg drwg a'i fore drud
yn stafell mor bell. Mae byd Clwb Ifor
a'i fôr o ddansfflor o 'nghyrraedd o hyd.

O rywle am hanner eiliad, o ddu nos
mi ddaw'n ôl dan leuad
gwyn o newydd, yn gnoad,
rimyn atgof o'r profiad, fel petae
yr hir amserau â mi am siarad...

Ond i ba iws? Mae'n mud basio'n ddi-ddal.
Fel y ddawns, mae'n peidio.
Dwi'n holi dan ei wylio'n
y pydew hwn: pwy ydi o? Daw'r cnaf
yn dawel ataf i 'ngadael eto.

Yr Awdl

LLOCHES

Stop tap. Quick Chip. Glaw llipa.
Ciw â'r diawl llawn cwrw da.
Geirie hallt a finegr rhad.
Beio. Gwthio. Bygythiad.

Dou yn stond yn eu *standoff*.
'I was here first, so eff off!'
'Will you shut up, you Welsh twat,
or I –' ac mae'n troi'n reiat ...

(Stop tap, wa'th beth fo'n siape,
ein tŷ cwrdd yw'r têcawê
yng nghesail yr adfail hwn
[hen gaer Rhys] ac arhoswn
a gwledda fel arglwyddi;
cipio'r nos â'n ffyrc pren ni,
cyn rhoi tonc, yn arwyr 'to'n
y tŷ hwn. Ond nid heno.
Calliwn, ac yn lle cellwair,
sobri. Mae'n berwi. Mae'n bair.)

16

Ol llaw ei bwyll lle y bu.

Yno yr oedd yn ŵr iau
A'i wyneb fel f'un innau,
Roedd cynnwrf rhyw ddoe cynnar
Yn bywhau ei 'sgwyddau sgwâr;
Yno roedd llanc, ac roedd lli
'I wythiennau'n ffraeth a heini.

Ei rym i minnau a roes—â'i afon
Yn arafu eisoes,
Rhoi i'w ŵyr aber ei oes
A rhannu rhaeadr einioes.

15

Aberteifi yw lleoliad awdl 2014, awdl a weithiwyd gan un a aned yn Welwyn Garden City, Swydd Hertford. Yn ystod cyfnod clo 2020, cafodd lonydd i ailymweld â rhai o'r lleoliadau sy'n rhan o'i dirwedd bersonol ef ers hanner canrif.

Galw yn Aberteifi ac Aberteifi'n Galw

A garet ti alw, grwt o Welwyn,
i weld y dre rhwng y wlad a'r ewyn
a rhedeg eilwaith, dan draed y gelyn,
ar hyd pob stryd fesul stori wedyn,
ar hyd y gwair du a gwyn, a'r caeau
chwarae lle bo'r gemau'n oedfa gymun?

A garet ti agor yr iet, hogyn,
i barc y plant drwg a rhannu mwgyn
ei feinciau caru? Neu i Fanc y Warin
â'i Bwyll a'i ryfel? Neu i'r cei hirfelyn?
Neu'r iet lwyd i'r mart ola un, lle bo
crescendo'r bidio fel su gwybedyn?

A garet glywed, drwy'r trash a'r rhedyn,
angylion y *dingle* yn dweud eu henglyn,
sgleinwyr y magnel yn canu'r delyn
a Patch, yn un haid, yn pitsho nodyn?
Tafodiaith Teifi wedyn, fwy neu lai,
yn angor i'r tai yng nghwr y Tywyn?

Ein broc yw'r storïau a'r enwau hyn,
broc sy'n gwareiddio bricsen a gwreiddyn,
ac wedi'u clywed, pe gwyddet wedyn
eu bod nhw'n byrth i'n byd ni o berthyn,
yma celet, am ryw getyn, fan clyd
i fagu dy deulu, dad o Welwyn.

Eisteddfod Genedlaethol Cymru
Sir Fynwy a'r Cyffiniau 2016
Cyfansoddiadau a Beirniadaethau

Dilyniant o gerddi mewn cynghanedd gyflawn
hyd at 250 o linellau: Ffiniau

FFINIAU

Gwŷr a aeth *Catterick Barracks*

Dynesu â'r radio'n isel a'r gaer
i'w gweld ar y gorwel
dan weiren o gynnen gêl
yn bigog hyd ei bogel.

Mor finiog yw arfogaeth tawelwch
rheng teulu. Â hiraeth
yn nhrofeydd eu nerfau, aeth
y lôn yn lôn gelyniaeth.

Danfon, â'r ddau ar donfedd wahanol,
ei unig etifedd;
gyrru'i fab i gwr ei fedd
a'r gyrru'n ddidrugaredd.

Ceisio darbwyllo'n ddi-ball, a phledio,
cystwyo nes deall;
gyrru, gyrru fel y gall
un gair roi cynnig arall.

Herio, dannod hyd anair. Daw'r bennod
a'i rhu i ben â deuair,
ond mae *scud* ym mhwysau gair
a'i gawod flêr yn gywair.

Nawr mae'n ŵr, mynna'n heriol filwra
fel arwr i'w bobol;
y mab sy'n fomiau o'i ôl
a'r ffrae waedrudd mor ffrwydrol.

A thad diymadferth yw i'w rwystro
rhag cofrestru i'r distryw;
rhag llw i farw neu fyw,
rhag y gad. Rheg wag ydyw.

3

Ymateb i'r dilyniant 'Ffiniau' a enillodd y Gadair yn Eisteddfod y Fenni gan ymdrin â rhyfela ac effaith hynny – o greu ffoaduriaid i wrthdaro mewn cymdeithas.

Ffoaduriaid

Synia rhai fod sŵn rhyfel
I'r haf. Arfau a'u hoerfel,
Gynnau a'u mwg yn ymhél...

Ond yna gwylio'r oriawr,
Nid y drôn yn dod â'r wawr
A'i fom yw'r Meudwyo Mawr.

Gwylio'r awr, galaru'r haf,
Galaru'n hegwyl araf.
Drwy'r holl wae'r adar lleiaf

A wyliaf heb hualau
Yn canu'n iach, joio cnau
Eu byw helaeth, heb waliau.

Er i'r sgrin feddalu'r ffiniau i lu
　　Teuluoedd a ffrindiau,
　Ymhob llun mae ymbellhau
　O'r awchu i fod rhwng breichiau.

Rhwydd yw'r wên â gardd. Er i ninnau gael
Adar mân a chân eu diddanwch hael,
Haf heb brifwyl sy'n haf heb ryw afael.
Drwy'r haf rhyfedd, ffoadur didrafael
Ydym a'r Pethe 'di'n gadael yn sych
A throi rhieni gwych yn athrawon gwael.

Af eto'n rhydd i steddfota i faes
　　A'i far llawn diota
　Yng nghofleidiau'r dyddiau da,
　I enfys o gymanfa.

Awn i'r Fenni a'r haf uniaith a fu
　　Yn fyw eto'r eilwaith
　Yn y cof, yn llun cyfiaith,
　Yn haid ffoaduriaid iaith.

Eisteddfod
Genedlaethol
Frenhinol
Cymru

Cyfansoddiadau
a Beirniadaethau

1999

Môn

Yr Awdl

PONTYDD

Ryw eiliad cyn i'r heulwen
glwydo heno'n wylan wen,
o'r dref oer fe grwydraf i
ymylon afon Teifi.
Ac o'r bont lle llusga'r byd
daw'r haf gyda'r dŵr hefyd.
Mehefin o siwin sydd
yn llenwi'r pyllau llonydd.
Islaw rhwng llus o liwiau,
i bwll hir yn ymbellhau
yn y gwyll, pluen o gwch
yn hwylio ar dawelwch.
A gerllaw mae gŵr a llanc
yn eu hafon yn ifanc
yn dala dwy wialen,
a lein hir a phluen wen,
gan enweirio'r gân araf
yn yr hwyr dan awyr haf.

Dwy wialen yn pendilio'n araf
dros y dŵr digyffro.
Diferion mân sy'n glanio'n
ddafnau cŵyr ym mhyllau'r co'.

Tad a mab, hawdd adnabod – o wyneb,
ôl y genyn hynod.
A natur yn annatod
yw llinyn bywyn eu bod.

Eu llinach ydyw'r llinyn; – hen edau
cyndeidiau yn estyn
o enynnau y ddau ddyn,
edau eiddil rhwng deuddyn.

Eto, wrth nesáu atynt,
dau lais sydd mor dawel ŷnt;
dau yn swil gyda'i gilydd
a dau ŷnt fel nos a dydd,
ar ddwy geulan wahanol
a dŵr ddoe yn hollti'r ddôl.

14

Pontydd 2020

O dan y geulan a'i gwŷdd
y mae enwau'n y mynydd
yn galw dau drwy dreigl dydd
i'r llun yn y dŵr llonydd.
Yng ngwanwyn dy wanwynau,
bore oes ni all barhau
yn nhir cibddall ysgallen
na'i nos hir ar ynys wen.
Melyna'r ugain mlynedd
bapurau'r geiriau; mae gwedd
hŷn arnom a llwyn gwernydd
ar waun lle rhedaist yn rhydd.
Yn nŵr llwyd ceulannau'r llyn
aeth traed drwy waed y rhedyn.
Sawl Ebrill fesul wybren
aeth o'n byd; daeth hyn i ben;
un ennyd o dan wennol
y bluen wen hafau'n ôl.

Est tithau ar deithiau, do,
o raeadrau ein crwydro.
Os tyfaist â llais Teifi'n
yr awel, mae d'orwel di'n
y dref sydd tu draw i'r wig
yn llawn dynion Llundeinig!
Aeth pluen y bachgen bach
yn bluen wen amgenach.
Genyn yn dilyn y dydd
yn driw i ryw hen drywydd.
Ar dy rawd ar ddwydroed rydd
â hyder yr ehedydd,
her a menter ydyw'r maeth
ynot; wyt lawn olyniaeth
gyhyrog. Dy fagwraeth
yw llên y pyllau llonydd
sy'n dy ddilyn derfyn dydd.

Â phob cenhedlaeth mae'r cenedlaethau
yn gân o wanwyn; mae'r bont genynnau
dros lif a droes yn afon yr oesau.
Yn y dŵr pell yn nyfnder y pyllau
fe welaf bluen yr hafau'n troelli'n
y goleuni o dan hen geulannau.

Yr Awdl

GWE

Golygfa 1: Ward ysbyty yng Nghymru, 2015

Clywaf ei lais yn crafu
ewinedd dweud ar fwrdd du.
Saeth ar ôl saeth yw pob sill
a'i anobaith yn ebill.

Rhyw drofa hir drwof oedd,
ond dweud ei enaid ydoedd.
Peswch, a chodi'r pwysau
oddi ar ei war, bwrw'r iau.

Ac o wrando ei gryndod,
ac ail-fyw, datgloi ei fod
ac ailagor y cloriau
o fewn y cof fu'n eu cau,

yn anfoddog, fel hogyn
ar daith ar hyd llwybrau dyn,
'r hyd coridor ei stori
gyda mam yr euthum i.

Golygfa 2: Sbaen, 1938

Ym mhlethi sianeli'r nos,
mae rhwydwaith y marwydos
yn troi ar hyd y trywydd
a wnaed o wae gan y dydd.

Dwy sianel dawel yn dal
yn dew gan faint y dial,
dau waedlif yn gydlifiad,
yn rhuddo pridd â'u parhad.

Diferion gwlad o feirw,
dafnau o waed, a'u hofn nhw
yn endoriad diaros
at goflaid yr haid o'r rhos.

20

'Cerdd am solidariti rhyngwladol yn wyneb ffasgaeth yn Rhyfel Cartref Sbaen ac anghyfiawnder ym Mhalesteina oedd cerdd Cadair Eisteddfod Meifod 2015. Cerdd am sylweddoli nad oes modd dianc rhag cyfrifoldeb ac am ymroi i herio trwy sgwennu. Heddiw mae agweddau adain dde eithafol wedi dod i'r amlwg yn llawer nes at adre, a gall fod yn anodd, weithiau, dod o hyd i'r egni i'w herio.'

Gweithio cerdd

Hawdd gweithio cerdd, gwthio cân
i ofod rhyw gyflafan,
i grwsâd sy'n rhyngwladol,
neu i frwydrau oesau'n ôl,
hawdd sefyll i ddeisyfu
rhyw ran fach o'r hyn a fu.

Arfau oer yw arfau iaith,
tarianau nas tyr unwaith –
'yn fyddin, nawr, fe ddown ni!'
dywedant, o'r ddesg deidi;
dewrder y silffoedd derw
a'r MacBook gwyn ydyn nhw.

Anos, a'r dde ar gynnydd
lawr y ffordd yn siglo'r ffydd,
ie, anodd iawn, bob yn ddau
greu'r odl a hogi'r awdlau;
anos, a nhw'n agosach,
lenwi bwlch ag englyn bach.

Ond fe wnawn, ac awn ganwaith
i roi ein cerddi ar waith,
rhown, a braw ar furiau'n bro,
resi geiriau i'w sgwrio,
heb weld cwpled cyffredin
amser a phellter yn ffin.

Yr Awdl

GORWELION

'A'r haul heb wawr o olau,
si hei lwli 'mabi, mae
hi'n go hwyr yr hen gariad.
Nos da.' 'Ond ga' i hanes, Dad?'

Cei, mi gei'r stori i gyd
o'i gofyn, mi gei hefyd
weld gwlad o gymeriadau
eto'n dod aton ni'n dau . . .

Cyn i'r gweld cynhara i gyd
euro'r bae, a chyn i'r byd
gofio brawddegau hefyd;
cyn i ni ddweud storïau
am wŷr hen, am arwyr iau,
cyn bod gwawr, cyn bod geiriau . . .

Ag erchwyn gwely'n galw,
yn oriau'r nos arnyn nhw,
brenin a dewin sy'n dod,
gwŷr, arwyr, ac eryrod,
a holl adar dewra'r dydd
a chewri a'u chwiorydd,
tylwyth o liw'r petalau
oll yn cwrdd . . . a'r llenni'n cau;
ac os yw'r byd yn fudan,
mae erchwyn y gwely'n gân.

. . . ac o'r sêr daw Pryderi yn yr hwyr
i roi winc drwy'r llenni,
a daw Gwydion aton ni
hyd y wawr gyda'i stori.

Dei o hyd i ffrindiau hen hyd orwel,
fel aderyn Branwen,
a chei Gulhwch ac Olwen
ar y Garn yn crïo gwên.

Un awr i gael y stori
a fedd dy Flodeuwedd di,

16

Ar Fehefin 30, 1940, trowyd Mynydd Epynt yn swyddogol yn Sennybridge Training Area. Gorfodwyd dros 200 o drigolion allan o'u cartrefi. Cawson nhw wybod gan yr Awdurdodau mai dros dro fyddai hyn yn digwydd, ac y bydden nhw'n gallu dychwelyd i'w cartrefi yn y bryniau a'r mynyddoedd cyfarwydd unwaith y byddai'r rhyfel drosodd. Mae tiroedd Epynt yn dal i aros am yr hen deuluoedd 80 mlynedd a mwy yn ddiweddarach.

Gorwelion

(*Epynt, wedi 80 mlynedd*)

Rhwng Cynghordy a Buallt
chwilia'r waedd uwchlaw yr allt,
hyd y lle fe gyfyd llain
o diroedd tua'r dwyrain,
tiroedd tranc hen ddifancoll,
erwau Epynt ydynt oll.

Trwy haul a glaw distaw oedd
yr afon trwy'r canrifoedd,
a'n galw at y geulan
wnâi hen li Cilieni lân,
ein galw oll drwy gefn gwlad
a'i thonnau'n llawn chwerthiniad.

Mae 'na gof fod mwy nag un
tir arall fel Tryweryn,
rhai diwyneb yw'r dynion
yma ar hyd y Gymru hon
sy'n dwyn y tŷ, sy'n dwyn tir,
a malu am a welir.

Ar hyd afon Rhiw Defaid
sgidiau dur sy'n lledu'r llaid
o'u barics nos a bore
i ddod â lladd hyd y lle;
yma'n y cwm, tanc mewn cae,
bwledi 'Mhant y Blodau.

Uwchlaw'r rhu hwn, ni chlyw'r haf
hanesion Cefnbryn Isaf,
na geiriau chwedlau na chân
yn crybwyll Abercriban,
na'r tir yn drwm o hiraeth
wrth ddweud stori Gelli-gaeth.

Rheibio eu cof drwy bob cae,
a'u troedio yn gatrodau,
torri cân y tir cynnar,
dwyn calon trigolion gwâr,
dwyn eu gwlad, hawlio'r adwy,
dwyn Epynt ohonynt hwy.

Yma'n ein hawr, mae 'na waith
i roi'r alaw'n wâr eilwaith
i'r hen gartref, ni hefyd
biau'r hawl i ddod ryw bryd
yma'n ôl, a gwyddom ni
nad yw daear am dewi.

EISTEDDFOD
GENEDLAETHOL
FRENHINOL
CYMRU

CYFANSODDIADAU

A BEIRNIADAETHAU

1993

DE POWYS: LLANELWEDD

Yr Awdl

GWAWR

Heulwen, er trengi filwaith, – ail gynnir
    yn blygeiniol berffaith;
un wahanol yw'n heniaith,
ni huna hon ond un waith.

* * *

Heno'r hwyr â'r dydd ar drai,
unig oedd glannau'r Fenai.
Nid oedd ond sibrydion dŵr
yn erbyn wal yr harbwr,
hengaer yn gawr orengoch,
ac ewyn cei fel gwin coch.

Yno, dau fel nos a dydd
yn galw ar ei gilydd
oeddem; un yn diweddu,
a'r llall yn ddall i'r awr ddu.
Hen ŵr a llanc a wnâi'r llun:
ddoe a heddiw yn ddeuddyn.

Yn wahanol i minnau, – i aber
    anobaith trodd yntau;
ei oriau ef yn byrhau,
a'i anadl mewn cadwynau.

I gnul bolltau drysau'r dref,
oedran a'i llusgodd adref
i hualau ei aelwyd,
yn ôl i ffau'r llyfrau llwyd;
lle na chlywir ond hiraeth
a dyheu am wrid a aeth.

Ger y gaer, lle gwawriai gynt
ddyddiau heb ddiwedd iddynt,
un ydoedd â'r cysgodion,
a'i ffawd yn fyrrach na'i ffon;
ei ddoe aur yn wybren ddu
a'i heulwen wedi pylu.

12

'Yn fy ugeiniau hwyr, roedd ennill y Gadair efo'r awdl "Gwawr" yn drobwynt mawr i mi'n bersonol. Bu'n wawr newydd mewn sawl ystyr. Yn fuan wedyn gadewais fy ngwaith fel peiriannydd i fynd ar fy liwt fy hun fel dylunydd ond gan geisio hefyd ennill cyflog fel bardd. Mae geiriau wedi bod wrth wraidd popeth i mi ers hynny.

Yn 56 oed dwi'n dechrau sylwi 'mod i'n anghofio rhai geiriau ac enwau cyfarwydd, ac mae hynny'n fy nychryn. Alla i ddim cofio tarddiad ambell air fel roeddwn i. Dwi'n cymryd mai henaint ar gychwyn ydi hyn. Dwi'n ei dderbyn yn ddistaw bach. Does dim dewis arall am wn i.'

Geiriau

I'w gynnal drwy'i ugeiniau, – a'i arwain
drwy her ei dri degau,
'Gwawr' i un dychmygwr iau
oedd gwir diddiwedd geiriau.

Geiriau oedd ei bethau. Y byd. – Geiriau
fu'n gyrru ei fywyd,
llond englyn bob dau funud,
geiriau a geiriau, 'na i gyd.

Geiriau o bell, geiriau byw, – a geiriau
o gyrraedd y rhelyw,
geiriau dyn wrth garu Duw
fel dail yng ngafael dilyw.

Y geiriau ar ben tennyn, – a geiriau
sy'n gariad i'r delyn,
geiriau o'r dechrau'n dychryn,
a geiriau hallt y gŵr hŷn.

Geiriau ffyddlon gwirionedd, – hen eiriau,
yn nhwrw cynghanedd
a geiriau hir trugaredd
o enau bardd ar lan bedd.

Geiriau niwlog pob hogyn – ar ei daith,
geiriau doeth y meddwyn,
geiriau dwl sy'n gyrru dyn
i wneud ei waethaf wedyn.

Gair i gall, a geiriau gwan, – a geiriau'r
botel gwrw simsan,
geiriau llwyr cysegr y Llan,
geiriau'r siwt, geiriau Satan.

Ac wedi'r holl ddegawdau – o'i hudo,
ymadael mae'r geiriau
a mynd o ben a genau
ddydd ar ôl dydd, un a dau.

Geiriau aiff dros y gorwel, – yn eu hôl,
ar eu hynt anochel,
a'u diosg 'wnaf yn dawel
wrth i hen haint henaint hel.

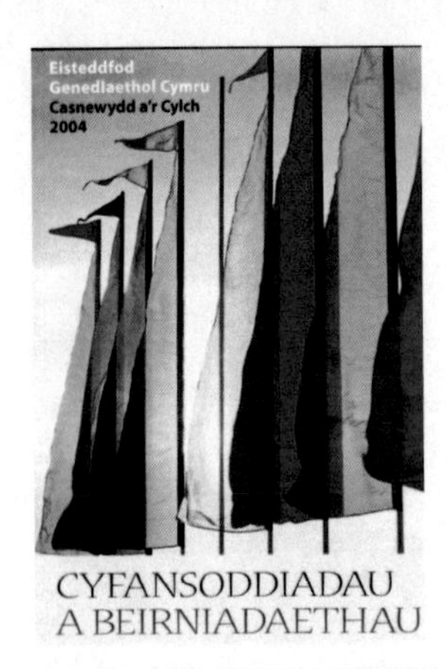

Llanfihangel dan eira (Chwefror 2004)

Drwy'r cwm rhwng y bedw a'r cyll, – ym mhob hafn,
Yn ysgafn, ysgafn fel curiad esgyll,
Bu'r gwagle'n taenu'i fentyll – yn llen gêl
Ar hyd Llanfihangel dawel, dywyll.

I'n gwlâu oer yng ngenau'r glyn, – yn ei thro
Daeth awr y deffo hyd eitha'r dyffryn:
Mis Bach amhosib o wyn – fel manna,
A gŵyl o eira'n ein gwadd yn glaerwyn.

Haen feddal dangnefeddus – dros fyd dof,
Heb ddim ond brithgof drwy'r plu atgofus
Am bitran patran petrus – y düwch,
Un trwch o dawelwch gwyn hudolus.

Ni allem ond bod allan – drwy'r dydd hael,
Ei gael i'n gafael a'i gael yn gyfan,
Y wlad dan awyr lydan – loyw las,
A'r heli eirias yn orwel arian.

Heddiw 'roedd ffurf dragwyddol – Eryri,
Fel Llŷn ac Enlli, yn rhith lledrithiol,
A ninnau'n blant ynghanol – ein man gwyn,
Heb un yfory na sôn am feiriol.

Y rhiw a'r llan dan yr un – gyfaredd
A'r cerrig bedd yn wên gam ddanheddwyn,
Yw cedyrn yn cyrcydu'n – y pant draw,
A'r goedwig fawr ddistaw gerllaw fel llun.

Uwch y coed cylchai cudyll – ei dir gwyn,
Gan ddisgyn ac esgyn fry a'i esgyll
Ar annel tawel, tywyll, – a'i hen brae
O hyd dan warchae ei danio erchyll.

Neb

Ym Mehefin 2020, yn ystod cyfnod clo'r Coronafeirws, daeth rhagor o fonion coed hynafol i'r golwg ar draeth y Borth ger Aberystwyth, fel petai hen deyrnas Gwyddno Garanhir, Cantre'r Gwaelod, yn codi eto o'r tonnau.

Ar draeth y Borth

(*gan gofio'r gerdd 'Llanfihangel dan eira'*)

Fy mhedair wal oedd fy myd i, er hyn,
Fe wn i unwaith i'r trai fy nhynnu'n
Ôl i'r fynwent lle rhois law ar fonyn,
A'r môr yn esgor a'r meirw'n esgyn
O'u beddau i'r golau gwyn, – nes deffro
Holl glychau Gwyddno i udo wedyn.

Daw heintiau eraill a dônt â'u heriau
I Lanfihangel dawel, daw'r duwiau
I droelli hanes; ond drwy'r holl lannau
Daw gwanwyn i bridd, daw eginyn brau
Mor ystwyth â'r coed hwythau'n – ymagor,
Cyn i'r ddrycin chwipio'r môr drwy'r muriau.

Oni chlywch yn uwch na'r clychau, – tu hwnt
I wyntoedd a thonnau,
Sŵn trydar plant yn chwarae
Yn Gymraeg drwy'r Gymru iau?

Oni chlywch awel iachach,
Sŵn cwm byw, sŵn camau bach?

Y Dilyniant o gerddi mewn cynghanedd gyflawn

LLANW

Er cof am fy nhad

Môr

Yn ras y tonnau ar draws y twyni,
Yn sŵn y gragen, mae hen hen ynni,
Mewn creigiau yfflon ac ym mriwsioni
Ara'r foryd, yn y môr a'i ferwi.
Ôl ei gŷn ar glogwyni'n greithiau clir,
Ac ar y pentir mae'r tir yn torri.

Clirio tŷ

Daw awr gwared ar geriach,
clirio byd un bywyd bach.

Crynhoi broc môr y droriau,
olion ei oes, i lanhau ...

Ffon gollen, hoff hen gyllell
a genweiriau'r pyllau pell ...

Hen gragen felen fawlyd –
iddo'n fôr, a heddiw'n fud ...

Mân bethau a lluniau llwyd
yr oriau a wiwerwyd.

Yn awr y trai, llyfnu'r traeth;
sgwrio i osgoi hiraeth.

* * *

Digyfarch y daw gofid
i'n poeni, llechgi yw llid.

18

'Yng nghyfnod y Covid a'r cloi, un o'r pethau anodda' oedd methu â gweld anwyliaid, neu orfod gwneud hynny trwy sgrin ffôn neu wydr ffenest. Roedd yna rywbeth yn y teimlad yn fy atgoffa o'r misoedd wedi marw fy nhad... nid unigrwydd ond, yn y teimlad hwnnw, bod ar fy mhen fy hun.'

Cofio Dad

(*wrth weld Mam trwy ffenest y cartre' gofal*)

Ffin 'di'r ffenast
A dy rith y tu draw'n y llwydwyll.
Oedi, yna galw...
Ac eilwaith.
Estyn,
Ond llun fy llaw sy' yno.
Aros ennyd.
Curo a churo'r chwarel
Yn dyner i droi dy wyneb.

Yna daw'r haul i daro'i olau
Ar y gwydr a gadael
Drych.

O draw
Fy wyneb i fy hunan
Yn llawn ofn yn syllu'n ôl.

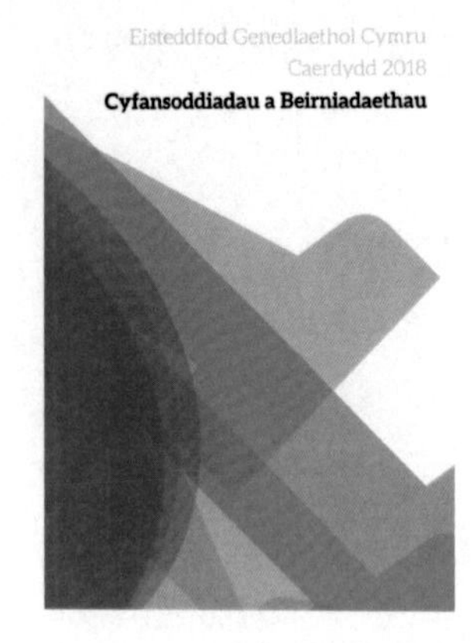

Awdl ar fwy nag un o'r mesurau traddodiadol,
heb fod dros 250 o linellau: Porth

PORTH

'Llenwa fi â sothach lliwgar o America, cyfog melys at fy mhoena'.'
(Yr Ods)

'Mae'r byd lawr y lôn, ond mae'r teledu'n y gwely.'
(Cowbois Rhos Botwnnog)

Bu'n noson 'Be wna'i nesa'?'
arall, o deimlo'r oria'
hirion yn pydru'n ara'.

Y flwyddyn yn chwalu'n chwim
yn ddarnau dyddiau diddim.
Heno dwi'n damio g'neud dim.

O g'wilydd af i'r gwely
ac esgus mynd i gysgu
am ryw sbel, cyn anelu

eto i ffeindio fy ffôn.
Hwn yw 'nghyffur, a 'nghyffion,
rheolwr fy ngorwelion

a throthwy fy mhorth rhithiol.
O gwffio cwsg ga'i *fuck all*
ond y gwacter arferol.

Tsiecio Twitter ran 'myrra'th
a wnaf o hyd, mewn rhyw fath
o obaith teimla'i rwbath.

'Mae "Porth", awdl fuddugol Eisteddfod Genedlaethol Caerdydd 2018, yn darlunio bywyd gŵr ifanc o Gymro a'i berthynas anesmwyth gyda'i ffôn symudol. Iddo ef, mae'r ffôn yn borth sydd yn llenwi ac yn parlysu'i fywyd ar yr un pryd. Yng nghaniad olaf yr awdl mae'r ffôn yn malu ac mae'r gŵr ifanc, yn rhydd o'i gaethiwed i dechnoleg o'r diwedd, yn sylwi ar drydar yr adar ac mae'n camu allan i'w bwydo. Mae'n glo gobeithiol i awdl ryfeddol o sinigaidd!

Ond ddwy flynedd yn ddiweddarach, yng nghysgod y cyfnod clo, mae technoleg yn bresenoldeb llawn mor ganolog a'r un mor amwys yn ein bywydau. Er gwaethaf awydd nifer ohonom i ddyfnu'n hunain oddi ar ein dibyniaeth ar dechnoleg, mae dewis newid yn anodd os ydym yn rhy gyfforddus. Mae hi'n haws camu 'nôl a gwylio'r byd yn dadfeilio ar ein sgriniau.

Mae'r gerdd hon ar fesur y filanél ac mae hi'n gerdd gaeth.'

Haf 2020

Yr wyf o hyd wrth fy nghyfrifiadur
yn marw'n raddol o'm mymryn rhyddid,
yn gwylio'r saga mewn galar segur.

Araf a distaw yw'r haf diystyr
â'i wên ddiofal yn waedd o ofid.
Yr wyf o hyd wrth fy nghyfrifiadur

yn chwilio'n gyson am bluen o gysur
ond heno, darnio wna pob cadernid
o wylio'r saga mewn galar segur.

Mae'r un brain di-daw yn baeddu'r awyr;
'run cerddi llugoer yn corddi llygid;
yr wyf o hyd wrth fy nghyfrifiadur,

a'r oriau gwaglaw fel rheg o eglur
yn ditrwm tatrwm hirlwm yn f'erlid
i wylio'r saga mewn galar segur.

Yr un hen fyd, lle rwy'n caru'n fudur
fy mywyd croendew, heb feiddio newid.
Yr wyf o hyd wrth fy nghyfrifiadur
yn gwylio'r saga mewn galar segur.

CYFANSODDIADAU

A BEIRNIADAETHAU

2002

Noddwyd gan

HSBC

SIR BENFRO, TYDDEWI

Y Casgliad o Gerddi

LLWYBRAU

Lynx mewn sw

'Mae 'di'i cholli hi', yw pitïo
llawer o gylch ei gell loerig o
ond down yn ôl wedyn i'w wylio:

mynd i'r dde chwe cham,
yna troi fel tram
gyda fflam yn ei lygadau fflint;
martsh anniddig, mud
o fewn conglau'i fyd,
'nôl, 'mlaen o hyd, o hyd ar ei hynt . . .

Âwn heibio'r beithon lonydd – yr eirth swrth
    a swil, y geifr mynydd
diog a'r teigr diawydd, – madfall pren
    â'i ben ar obennydd
a llewod mewn cyfarfodydd hirion,
    hirion, heb gadeirydd,

a down yn ôl wedyn i wylio'i
bawennau'n dal, dal i bendilio,
yn rhedeg y ffèg heb ddiffygio,

yn benuchel, yn hen Fandela,
yn dal at hawl, dal ati i hela
a'i dir yn Combe d'Ire tan gnwd eira,
ei nos yn dew gan newyn,
golau lloer ar sigl y llyn,
yntau ar y rhiwiau a thrwy'r rhyd
yn rhydd i fynd ar drywydd ei fyd
yn mynd, dal i fynd, yn fyw o hyd.

22

'Casgliad o gerddi ar y testun "Llwybrau" oedd cystadleuaeth y Gadair yn Nhyddewi yn 2002. Fel amryw o rai eraill yn ystod y gwanwyn hwn, roedd cerdded llwybrau'r plwyf yn bleser hanfodol. Ond o dro i dro, dôi hiraeth am gael cerdded llwybrau mewn ardaloedd braf eraill o Gymru. Un o fy hoff ardaloedd – am amryw o resymau – yw gogledd Penfro.'

Hiraeth am lwybrau Penfro

Pa ddyddiau blin heb Dre-fin a'r Gelli-fôr
A hedd Caerfarchell, Pen-câr, Carn Besi,
A'r Garregwastad uwch storïau'r môr?
Pa ddyddiau blin heb Dre-fin a'r Gelli-fôr
Ac afon Tewgyll, lle mae'r wawr yn gôr
O ben Bwlch Ungwr y Preseli?
Pa ddyddiau blin heb Dre-fin a'r Gelli-fôr,
Pentre Ifan a Phwllderi?

Pa amser maith cyn gwnaf y daith i dir
Cilciffeth ac Allt Pen-cegin Uchaf,
Gweld Ogof Pig y Mêl ar ddistyll clir?
Pa amser maith cyn gwnaf y daith i dir
Cwm Cerwyn, Glynsaithmaen, Pwll Bendro, Pwll Hir?
Cas Morys a Phantygwynfyd eithaf?
Pa amser maith cyn gwnaf y daith i dir
Pen-cnwc, Pwllgwaelod, Hesgwm Isaf?

Pa oriau hir cyn i'r feidir fynd â fi
Drwy goed Nanhyfer at Garreg Brynach?
Porth-gain, Portheiddi, Cwm Badau bois y lli?
Pa oriau hir cyn i'r feidir fynd â fi
Heibio Clawdd-cam, Tre Brython, Carn Clust y Ci,
Dros Bont y Penyd at Wadan Solfach?
Pa oriau hir cyn i'r feidir fynd â fi
At ddŵr Glyn Rhosyn a Ffos y Mynach?

Argraffiad cyntaf: 2020

Rhif Llyfr Safonol Rhyngwladol:
978-1-84527-783-3

Cyhoeddwyd gyda chymorth Cyngor Llyfrau Cymru

Dylunio'r clawr: Ela Mars

Cyhoeddwyd gan Wasg Carreg Gwalch,
12 Iard yr Orsaf, Llanrwst, Dyffryn Conwy, Cymru LL26 0EH.
Ffôn: 01492 642031
e-bost: llyfrau@carreg-gwalch.cymru
lle ar y we: www.carreg-gwalch.cymru

Argraffwyd a chyhoeddwyd yng Nghymru